Was Helmut in Deutsc

Eine Jugendgesc

Gabriele Reuter

Alpha Editions

This edition published in 2022

ISBN : 9789356789241

Design and Setting By
Alpha Editions
www.alphaedis.com
Email - info@alphaedis.com

Contents

Der Tag der Ankunft

Majestätisch rauschte der Überseedampfer in den Hafen von Hamburg. Er kam von Brasilien und war während der letzten Tage mit schnellster Fahrt gelaufen. Auf Deck spielte die Musikkapelle. Hunderte von Passagieren drängten sich durcheinander, es gab ein aufgeregtes Hin- und Herlaufen auf Gängen und Treppen des gewaltigen Gebäudes. Offiziere und Matrosen im Paradeanzug standen bereit, das Vaterland zu grüßen. Heiter glänzte die Sommersonne auf dem spiegelnden Metall des Schiffes, seine Wimpel flatterten, die mächtige schwarz-weiß-rote Fahne bauschte sich und wallte im Seewind.

Rechts und links lagen große und kleine Dampfer. Durch die schmalen Wasserstraßen zwischen ihnen flitzten schlanke Motorboote. Über schmutzige Bretterstege schleppten berußte Männer vom Ufer ungeheure Kohlenlasten und versenkten sie in die schwarzgähnenden Bäuche der Seeriesen. Auf ragenden Kranen schwebten Kisten und Ballen hoch in der Luft und senkten sich mit leichter Drehung auf die Kais nieder, wo zahllose Arbeiter in Lederschurzfellen, Hünen an Kraft der Glieder, Kolli nach Kolli auf Wagen verluden und in die großen Speicher beförderten, welche den Hafen umgaben. Ein Geruch nach Teer, Öl und Salzwasser schwebte über dem eifrigen Arbeitsgetriebe, zwischen dem das Gewimmel der Neugierigen das Anlegen des Überseedampfers erwartete.

Helmut Kärns Augen strahlten vor Freude über das stolze Bild. Er griff nach seines Vaters Hand und schwenkte sie stürmisch.

»Das ist ja Deutschland, Vater!« rief er in lautem Jubel. »Deutschland! Deutschland! Begreifst du's denn, Vater, daß wir wieder da sind! Nach elf Jahren! Wie alt war ich denn? Drei Jahre – drei! Du trugst mich auf dem Arm über den Steg, als wir abfuhren. Weißt du noch? Und Mutter weinte ... Vater, was tut der Mann dort drüben? Was schreit er wie wahnsinnig? Was schwenkt er so die weißen Blätter ...?«

Wilhelm Kärn zog seine Hand aus der des Sohnes, der Ausdruck seines kräftigen braunen Gesichtes war tiefernst, seine Augen starrten angestrengt hinüber zu dem Zeitungsträger. Mit ihm starrten viele Augen, viele gespannte Gesichter hinter Operngläsern. Jetzt drängten die Menschen wild nach einer Seite, wo ein kleines Motorboot sich dem Kolosse näherte. Mit kühnem Schwung flog ein Paket Blätter hinauf, wurde im Nu von Hunderten ergriffen – – – Der Mann im Boot schrie durch die hohlen Hände etwas Unverständliches. Eine Sekunde lang legte sich eine furchtbare Stille über die wartenden Menschen, über Männer, Frauen, Kinder. Dann brach ein wildes Getöse aus, und gellend scholl das eine Wort »Krieg« von Mund zu Mund.

Man wartete seit Tagen in banger, atemloser Spannung auf dieses Letzte – auf die Entscheidung! Schon hatte man unterwegs durch Funkspruch von dem grausen Mord des Thronfolgerpaares von Österreich gehört – schon berichtete der Lotse in Cuxhaven, daß in Deutschland und bei seinen Bundesgenossen der Kriegszustand erklärt sei, – daß man davon rede, die Russen hätten bereits die ostpreußische Grenze überschritten, während die Verhandlungen zwischen Kaiser und Zaren sich noch in vollem Gange befanden. Heiß wogte der Streit der Meinungen an Bord zwischen den Männern. Schon begannen die verschiedenen Nationalitäten, die noch vor kurzem freundlich miteinander verkehrt hatten, sich abzusondern, verbissen und grußlos blickte man aneinander vorüber. Die Brasilianer schlossen in der Weise der Südländer Wetten für oder gegen den europäischen Krieg, der sie ja nicht viel anging, dem sie zuschauen würden wie einem spannenden Theaterspiel. Aber im Grunde seines Herzens hatte es doch niemand für möglich gehalten, daß das unerhört Entsetzliche wirklich eintreten könne.

Und nun war es doch geschehen. Für viele der deutschen Männer auf dem Schiff, die ihr Vaterland seit Jahren nicht gesehen hatten, die ihm beinahe fremd geworden waren und nur zu einem heiteren Besuch nach der alten Heimat zurückzukehren dachten, bedeutete dieser Augenblick eine ernste Schicksalswende. Von allen Seiten wurde Deutschland umdräut – es schien undenkbar, daß es so viel Feinden widerstehen könne! – In dieser Gefahr wachte eine heiße Empfindung von Liebe plötzlich in manchen Herzen auf. Man fühlte sich mit einemmal wieder »dazugehörig« – man fühlte sich unter den Seinen!

Zwischen den Eltern, geschoben und gedrängt von der erregten Menschenmenge, gelangte Helmut Kärn, er wußte selbst nicht wie, ans Ufer auf den Kai. Die Mutter weinte, Ströme von Tränen liefen ihr über das Gesicht, die sie nicht abzutrocknen vermochte, denn sie trug verschiedenes Gepäck und hielt überdies die kleine Daisy Bauer – Daisy war die Tochter von Kärns bestem Freunde, der eine Engländerin geheiratet hatte – fest an der Hand, damit das Kind ihr in dem Gewühl nicht abhanden komme. Beide Eltern waren gestorben, und das verwaiste Mädchen sollte ihrem englischen Großvater übergeben werden.

Und während die Menge sich dem Lande zuwälzte, dröhnte ihr von drüben her ein machtvoller Gesang entgegen. Er kam aus einer der breiten Straßen, die auf den Hafen mündeten. Eine neue Menschenwelle wogte von dort heran, in ihrer Mitte ein Trupp Soldaten. Brausend klang das Lied »Deutschland, Deutschland über alles« aus Hunderten von Kehlen. Und die Ankommenden standen still, zogen Hüte und Mützen, vergaßen, was sie hergeführt hatte: Geschäfte und Vergnügen. Viele falteten die Hände, es war wie ein erhebender Gottesdienst unter freiem Himmel. Aus Tausenden von

Herzen stieg das Gelübde: alles zu opfern, Gut und Leben, für des Vaterlandes Rettung.

Helmut hatte mitgesungen so laut er konnte. Als er mit den Eltern endlich einen Wagen eroberte und ins Hotel fuhr, mußte ihn die Mutter verschiedene Male an der Hand festhalten, sonst wäre er herausgestürzt, so lebhaft sprang er auf seinem Sitz umher, um nur nichts von all den Dingen zu versäumen, die sich rings begaben. Kaum hatte er im Gasthaus der Mutter geholfen das Gepäck abzulegen, als er auch schon seinen Vater bestürmte, mit ihm wieder auf die Straße zu kommen, weiter zu schauen, weiter zu hören.

»Warte, mein Jung, ich folge dir gleich, du kannst mit mir zum brasilianischen Konsulat gehen, damit ich meine Papiere durchsehen lasse. – Bleib draußen auf dem Flur, solange ich mit Mutter rede!«

Nach einigen Minuten trat der Vater aus dem Zimmer, ruhig und gelassen, wie Helmut ihn nicht anders kannte. Die Mutter saß drinnen auf einem Stuhl, das Gesicht in den Händen verborgen. Helmut sprang eilig noch einmal hinein, küßte sie und flüsterte ihr ins Ohr: »Mutti – wir kommen ja bald wieder – fürchte dich doch nicht!«

Sie machte eine kleine Bewegung mit dem Kopf. Helmut hörte seines Vaters Ruf und lief dem Voranschreitenden behende nach.

»Vater«, fragte er und seine blauen Augen glänzten, »gehst du auch mit in den Krieg? Gelt, du wirst dich stellen?«

»Ich habe gedient, habe meine deutsche Nationalität niemals abgelegt in den elf Jahren Farmerlebens. Ich werde meine Pflicht tun«, antwortete Wilhelm Kärn, der wuchtige Landmann mit den breiten Schultern, den arbeitsgewohnten Händen, die braun und sehnig waren wie die Rinde eines Baumes, lächelte und hob die Faust. »Meinst nicht, Bengel, daß wir's noch schaffen?«

»Die sollen sich wundern – die Rußkis und Franzosen«, schrie Helmut. »Da wird's Hiebe setzen. Na, Vater, du nimmst mich doch mit? Was? Schießen kann ich ja, Kräfte hab' ich genug. Du, das wird fein, wenn wir beide zusammen losgehen!«

»Ach, wo denkst du hin – bist ja viel zu jung. Dich nehmen sie noch lange nicht!«

Helmut wurde dunkelrot und biß sich auf die Lippe. »Du, Vater – du machst Spaß – ich weiß doch, du nimmst mich mit!«

»Werden sehen«, brummte Kärn, der plötzlich ernst wurde. Es ging ihm viel Nachdenkliches durch den Kopf. Dies Stück Erde am Rande des finsteren Urwalds, das er durch hartnäckigen Fleiß zu einem blühenden, einträglichen Besitztum umgeschaffen hatte, war ihm innig ans Herz gewachsen. Jeden Fruchtbaum hatte er dort eingesetzt, jedes Rind, jedes Pferd großgezogen. Die jungen Pflanzungen waren so manches Mal den Heuschreckenschwärmen, den gefräßigen Ameisen zum Opfer gefallen – immer wieder hatte er unermüdlich frisch begonnen, bis die Maisfelder, die strotzenden Bohnen, der Hanf in prächtigen Kulturen die Mühe lohnten. Plötzlich schoß ihm ein brennender Schmerz durch die Brust. Sollte er nichts von dem allen wiedersehen? Nicht mehr für die Frau und den Jungen schuften dürfen? Und der junge Verwalter drüben? Der war doch auch ein Deutscher und heißblütig, draufgängerisch! ... Den würde es, war noch irgendeine Möglichkeit, herüberzukommen, weiß Gott nicht halten! Dann war die Pflanzung den brasilianischen und schwarzen Arbeitern überlassen. – Kam man mit dem Leben davon, hieß es einfach wieder von vorn anfangen. Das mußte mancher – am besten war's, man dachte nicht weiter darüber nach.

Der Junge schwatzte munter an seiner Seite und tat tausend Fragen. Außer dem prächtigen Rio, das sie auf der Herreise kurz berührt hatten, kannte er ja noch keine Stadt. Er schrie laut auf vor Entzücken, als sie an die Alster kamen und die flimmernde Wasserfläche mit dem Geflatter der grauweißen Möwenscharen, umringt von vornehmen Palästen, sich vor ihnen ausbreitete. Die zahllosen Ruderboote lagen in dieser Stunde verlassen am Ufer, die Dampfer kehrten leer von Fahrgästen zu ihren Anlegestellen zurück. Bei dem eleganten Alsterpavillon staute sich die Menge schwarz und dicht. Autos mit Militärpersonen rasten unaufhörlich vorüber. Ein Lastauto, beladen mit Packen von Zeitungen, bahnte sich langsamer seinen Weg durch die Menge. Aufrecht standen Männer in dem Gefährt und warfen die Blätter zu Hunderten unter das Publikum, zugleich schrien sie die neusten Nachrichten über die Köpfe der Menschen. Von Hand zu Hand flogen die Blätter, es war wie ein Gewirbel weißer Fetzen in der Luft. Irgendwo stimmte jemand ein Vaterlandslied an, sofort fielen Tausende ein.

Mit Mühe mußten Vater und Sohn sich ihren Weg suchen. Niemand hatte in dieser Stunde Zeit, ihre Fragen zu beantworten. Und doch redeten die fremdesten Menschen miteinander und schüttelten sich die Hände. Helmut sah mit Erstaunen, wie zwei alte, würdige Herren sich vor Begeisterung singend um den Hals fielen.

Auch auf dem Polizeibureau warteten Hunderte von Menschen. Kärn wollte hier erfahren, wo er sich in Berlin zu melden habe, denn, da er aus der Mark Brandenburg gebürtig war, hatte er in der Reichshauptstadt gedient und mußte sich dort wieder stellen. Alles wickelte sich in Ruhe und Ordnung ab. Als der Vater an die Reihe gekommen war, drängte sich Helmut neben ihn, richtete sich stramm auf, sah den Beamten mit blitzenden Augen an und fragte: »Wo habe ich mich zu stellen? Darf ich mir ein Regiment wählen?«

Hinter ihm lachte jemand, und auch um den Schnauzbart des Wachtmeisters glitt ein vergnügtes Schmunzeln.

»Welcher Wehrklasse gehören Sie an?« fragte er.

»Wehrklasse – was ist das?«

»Ja, wenn Sie noch nicht in der Stammrolle eingetragen sind, dann bedaure ich! Wie alt sind Sie denn?«

»Bald fünfzehn«, antwortete Helmut etwas unsicherer.

»So, so – na – da ist jetzt noch nichts zu wollen – hoffentlich dauert der Krieg nicht so lange, daß Sie auch noch drankommen! Folgender!«

Helmut war entlassen. Sein Vater hatte ruhig auf ihn gewartet.

»In Berlin versuch' ich's doch noch einmal!« trotzte der Knabe.

In der Nacht wurde die Fahrt angetreten. Auf dem Bahnhof herrschte ein unbeschreibliches Gedränge. Zu hohen Burgen türmten sich Koffer und Kisten. Denn schon kamen die Schiffe von England und den Nordseebädern und brachten Fluten von Menschen, die noch nach Hause hasteten.

»Helmut«, sagte der Vater, »wir werden kaum zusammensitzen können. Ich will sehen, bei der Mutter zu bleiben. Du sorgst für Daisy und trennst dich auf keinen Fall von ihr. Du hast die Verantwortung für das Mädel. Hier sind eure Billette und ein paar Schinkenstullen – denn Gott weiß, wann der Zug in Berlin eintrifft.«

Von Sitzen war überhaupt nicht die Rede. Beide Kinder standen, in fürchterlicher Enge eingekeilt, die Nacht hindurch im Korridor des *D*-Zuges. Die zwölfjährige Daisy begann zu weinen. Helmut tröstete sie liebevoll mit der Aussicht, das würde noch ganz anders, wenn die Kosaken kämen mit ihren langen Peitschen, mit denen sie die Menschen gleich totprügeln könnten. Er versicherte ihr aber zugleich, daß er am nächsten Morgen zuerst mal seinen Revolver auspacken würde, er sei doch heilfroh, daß er ihn gegen den Willen seiner Mutter mitgenommen habe. Und jetzt wollten sie mal ihre Schinkenbrote essen, dann würde ihr gleich besser werden, und er brauche sie auch nicht länger zu tragen.

Das war ein leichtsinniges Vorgehen, denn plötzlich blieb der Zug mitten in der Nacht an einer kleinen Station liegen und lag dort viele Stunden auf einem toten Gleis, trotz alles Schimpfens und Fluchens der Reisenden. Lange Züge, angefüllt mit Militär, sausten an ihm vorüber; der Morgen dämmerte rosenrot über den grünen Marschen, und sie lagen noch immer fest. Daisy konnte sich fast nicht mehr auf den Füßen halten, ihr braunes Köpfchen taumelte hin und her. Endlich winkte ihr eine Frau und bot ihr einen Platz auf ihren Knien an, damit sie ein wenig schlummern könne. Helmut bat einen Herrn, ihm den Platz an der Tür neben dem Abteil einzuräumen. »Ich habe die Verantwortung für das Kind«, sagte er stolz, obwohl ihm gar nicht stolz zumut war, denn solchen Hunger wie in dieser Morgenfrühe, in der verdorbenen Luft des überfüllten Zuges, meinte er noch niemals gespürt zu haben.

Erst am Abend des Tages erreichten sie Berlin, eine Strecke, die man zu gewöhnlichen Zeiten in vier Stunden zurücklegt. Nichts als einen Schluck Wasser hatten sie zur Labe bekommen. Aber alle Leute sagten, das wäre nun eben Kriegszustand, und man müsse sich hineinfinden.

Alles wird anders, als Helmut es sich dachte

Mit Kuchen und Blumen, mit festreich gedeckter Tafel wurde die ins alte Vaterland zurückkehrende Familie von den Großeltern begrüßt. Mutter und Tochter lagen sich nach der langen Trennung lachend und weinend in den Armen. Der Großvater, ein aufrechter, weißbärtiger Herr, faßte Wilhelm Kärns beide Hände, drückte sie und rief: »In dieser Stunde nichts von Krieg und Kriegsgeschrei! – Jetzt wollen wir nur die Freude genießen, euch Lieben wiederzuhaben – was später Schweres getragen werden muß, werden wir mit Gottes Hilfe schon durchschaffen!«

Auch das fremde Kind wurde mit der größten Herzlichkeit von den alten Leuten aufgenommen. Ja, die Großmutter Ladewig legte Daisy mit einem mitleidigen Blick auf ihr Trauerkleidchen oft noch eine besonders schöne Frucht, eine kleine Süßigkeit auf den Teller und lächelte ihr aufmunternd zu, als wollte sie es dem kleinen Fremdling in ihrem Heim so recht behaglich machen.

Helmut hatte nur zu schauen. Der Parkettboden war so blank gewichst, daß er mit seinem Ungestüm schon in der ersten halben Stunde der Länge lang hinschlug. Und wieviel Bücher der Großvater besaß – bis zur Decke seines Arbeitszimmers hinauf bedeckten sie die Wände! Himmel, mußte der alte Herr klug sein! Die weichen Teppiche, die vielen gestickten Kissen, die alten vornehmen Nußbaummöbel, die Bilder an den Wänden – alles gefiel ihm wohl – es war ein behagliches Nest, in dem die Großeltern hausten. Helmut fand seine ersten ungeschickten Krikel-Krakel-Zeichnungen sorglich gerahmt an der Wand über dem Nähtisch von Großchen, und die Ketten, die er aufgezogen hatte – seine Photographie auf Philli, dem kleinen braunen Pferdchen, auf dem er reiten gelernt hatte! Ein ganz kleines Helmut-Museum hatte sich Großmama angelegt. Nun betrachtete sie ihn immerfort voll Staunen und rief einmal über das andere: »Was ist er für ein großer Junge geworden! Ich sehe ihn immer noch vor mir als das zierliche Bübchen mit den hellen Locken!«

»Die wurden abgeschnitten, als mal kleine Tierchen drinsaßen«, erklärte Helmut gemütlich. »Du, Großmutter, wo ist denn euer Garten? Wir haben doch immer auf unsere Briefe geschrieben: Gartenwohnung, Charlottenburg-Berlin!«

Nun lachte die Großmama und führte ihn auf ihren Balkon, der voll Blumen und Schlinggewächsen stand, ein Kanarienvögelchen in einem goldenen Bauer sang zwischen den Geranientöpfen sein fröhliches Liedchen.

»Sieh, das ist mein Privatgärtchen«, erklärte die Großmutter, »hier genießen Großvater und ich so manchen schönen Sommerabend!

Dort unten liegt der Hausgarten.«

Tief unten zwischen vier hohen Mauern mit vielen Fenstern sah Helmut aber nur zwei grüne Rasenflecke und eine Teppichklopfstange. »Das nennt man in Berlin einen Garten?« fragte er verwundert. Er dachte, ihr Garten in »Waldecke« sei doch viel schöner gewesen, aber er wollte das nicht sagen, um die Großmutter nicht zu kränken.

Man mußte sich nun in der engen Wohnung einschachteln, so gut es eben ging. Um im Hotel zu wohnen, wie es Kärne ursprünglich geplant hatte, fehlten ihnen jetzt die Mittel. Die Ausrüstung des Vaters kostete viel Geld, und die ganze Zukunft war mit einemmal ungewiß geworden.

Jeder mußte Opfer an Behagen bringen, und brachte sie gern. Die Mutter teilte mit Daisy Bauer ihr Bett. Helmut schlief auf dem Sofa im Wohnzimmer. Meistens träumte er beängstigende Dinge: er riß die schöne Glasschale von der Tischdecke, oder die bunte Negerin auf dem Wackelständer stürze über ihn und verwandle sich plötzlich in das Tintenfaß, das schreckliche Verheerungen auf dem Teppich anrichtete. Auch im Wachen blieben ihm die vielen kostbaren Gegenstände unbehaglich, und er zog es vor, seine Aufgaben im Flur auf einem kleinen Tisch unter der Gasflamme zu machen. Denn in die Schule mußte er auch in Deutschland wieder gehen! Leider! Der Vater hatte ihn schon am Tage nach ihrer Ankunft im Realgymnasium angemeldet. So wanderte er denn jeden Morgen mit einigem Seufzen und Stöhnen neben Daisy durch die lange Schloßstraße den Hallen der Wissenschaft zu. Daisy besuchte die Töchterschule. Ihr englischer Großvater, dem das Kind zugeführt werden sollte, hatte kaltblütig an Frau Kärn telegraphiert: Da sich England mit Deutschland im Kriege befinde, denke er nicht mehr daran, die Tochter eines deutschen Mannes in sein Haus aufzunehmen.

Da war die mittellose Waise nun völlig auf die Hilfe ihrer deutschen Freunde angewiesen!

Sie war immer schon mehr in »Waldecke« als bei ihrem Vater, der sie gern unter der mütterlichen Obhut von Frau Kärn wußte.

An Helmuts Seite ritt sie damals auf ihrem kleinen wilden Pferdchen zwei Stunden weit durch den Buschwald zur deutschen Schule. Neben dem Schulgebäude befand sich ein von Stacheldraht eingefaßter Weideplatz, wo die Gäule frei herumliefen. Nach Schluß des Unterrichts fing ein jedes Kind sich mit dem Lasso sein Pferdchen wieder ein. Das gab ein ungeheures Springen, Geschrei und Gelächter. Helmut half Daisy stets ritterlich, zu ihrem Pferdchen zu kommen, und prügelte sich für sie mit den andern Jungen, die das zarte Dingelchen wegstoßen wollten. Im Walde schoß er kleine, grüne Papageien, sie gaben einen köstlichen Braten zur

Abendmahlzeit. Einmal hatte Helmut auch mit dem Lasso eine Schlange totgeschlagen, die sich steil vor Daisys Pferd in die Höhe gereckt hatte. Solche Abenteuer bestanden sie viele miteinander, deshalb hatten sie auch immer was zu schwatzen.

Nun wollte Helmut seine Kameradin nicht mehr bei ihrem englischen Namen nennen, denn sie war ja richtig seine Schwester. Er übersetzte also »Daisy« in »Gänseblume«. Ihr gefiel »Maßliebchen« besser, doch das fand er »zuckersüß«. Sie war auch mit der Gänseblume zufrieden, aber dafür mußte er ihr versprechen, nicht mehr »Gott strafe England!« zu rufen statt »Guten Morgen«, wenn er ins Zimmer trat. Ihre tote Mutter war eben doch eine Engländerin gewesen, und wenn auch der englische Großvater nichts mehr von ihr wissen wollte, ihr Andenken sollte immer in Ehren gehalten werden. Das verlangte die kleine Gänseblume sehr bestimmt, und Helmut bemühte sich auch ehrlich, sein Versprechen zu halten.

Nach Schulschluß trafen sich die beiden Kinder an der Straßenecke, wo der große blonde Schutzmann Müller stand und aufpaßte, daß alles in Ordnung zuging. Da konnten sie sich denn gleich ihr Leid klagen, schlechte Noten bekamen sie nämlich beide. Die Urwaldschule war doch ziemlich mangelhaft gewesen; es fanden sich bedenkliche Lücken in ihrem Wissen. Das Nachlernen war höchst langweilig in dieser Zeit, in der einem der Kopf vollsteckte von anderen, viel wichtigeren Dingen.

Herrlich war es, wenn plötzlich während einer öden Mathematikstunde die Glocken zu läuten begannen und bei den ersten hallenden Tönen alle Köpfe erwartungsvoll in die Höhe fuhren! Das Jubelwort: Ein Sieg – ein neuer Sieg! sprang von Bank zu Bank. Schon hörte man das Geschrei der Zeitungsverkäufer. Einer der Knaben wurde hinuntergeschickt, ein Extrablatt zu holen. Der Lehrer las laut vor: Lüttich war gefallen – Antwerpen war in unseren Länden – Hindenburg hatte die Russen geschlagen! Welche Freudenbotschaften! Man sang ein vaterländisches Lied, der Unterricht war zu Ende, und alles durfte nach Haus.

Das Gänseblümchen mußte oft vergebens auf Helmut warten. Der rannte mit den Kameraden durch die fahnenbunten Straßen zum Kaiserschloß oder zum Bismarckdenkmal, dort wurde wieder gesungen und Hurra geschrien, bis den Jungens die Kehlen beinahe platzten. Da gehörte Mann zu Mann, und die Mädchen konnten sehen, wo sie blieben.

Eroberte Geschütze wurden eingebracht und mit Girlanden bekränzt auf dem weiten Platz vor dem Schloß aufgefahren. Immer waren sie von Jungenscharen umlagert, die neugierig in die Eisenrohre hineinschauten und ihre Konstruktion untersuchten. Es fanden sich auch schon Verwundete ein, die, an Stöcken humpelnd oder den Arm in der Binde tragend, den Knaben die gewünschten Erklärungen gaben und viel von eigenen Erlebnissen zu erzählen wußten. Mit welcher heißen Bewunderung blickten die Jungen zu den Helden auf, die selbst mitgeholfen hatten, die Siege zu erringen, über die man daheim jubelte.

Am Sonntag ging's nach Döberitz, dem Truppenübungsplatz, wo der Vater mit anderen Landwehrleuten wieder eingeübt wurde. Helmut fand es empörend, daß so viele Schlachten schon geschlagen waren, ohne daß der Vater mit dabeigewesen. – Es blieben ja schließlich gar keine Siege mehr für ihn übrig.

Er selbst, Helmut, hatte sich in der ersten Zeit noch bei mancher Militärbehörde gemeldet. Daß die Kerls hinter den Tischen nicht begreifen wollten, wieviel Kraft er besaß, und wie gut er schießen konnte! Als ob er nicht für den Schützengraben reif gewesen wäre, besser als mancher dünne Primaner, der genommen wurde! Einfach lachhaft!

Wenn er so brav neben der Mutter in der kleinen Gartenwirtschaft in Döberitz sitzen mußte und auf den Vater warten, dem sie Wurst und Zigarren bringen wollte, so erstickte er beinahe vor Ungeduld. Fein war es nur, daß der Vater ihn bisweilen mit in die Baracke nahm, wo die Mannschaften schliefen. Der Dunst nach Transtiefeln, nach Staub, Schweiß und Männern hatte etwas wild Verlockendes für ihn. Alles mußte er untersuchen und wußte bald über die militärische Ausrüstung, die Truppenteile, die Dienstregeln gut Bescheid. Unter Wilhelm Kärns Kameraden war er ein viel geneckter und gern gesehener Gast.

»Ein strammer Bursche, Kärn«, pflegten sie zu sagen. »Aber den hüte man gut, das ist ein Durchgänger!«

»Ja, hüten ...« antwortete Kärn in seiner bedachtsamen Weise, »das sagt sich wohl so – nur –: über vierzehn Tage geht's fort, und dann muß er sich allein hüten! Ich fürchte nichts Ernstliches für ihn, – er hat Ehre im Leibe!«

»Na ja schon«, mischte sich der lange Lehmann mit dem dünnen Ziegenbart ein, der seines Zeichens Malergeselle war, denn bis zum Meister hatte er's nie gebracht, weil er schon mit neunzehn Jahren Frau und Kind besaß. »Leichtsinnige Stricke sind die Bengels alle miteinander, und pfiffig! Ick hatte mir da noch so ein paar Goldfüchse in den Hosenboden genäht, für alle Fälle – was meinste woll – hat sie doch mein Karle gleich rausgefunden! Wie ich mit den kranken Fuß lag, neilich, un er bei mich saß – un immer so an meine Hose rumfummelte, die übern Stuhl hing, weil ick en bißchen döste ... Hält se mich der Bengel so mir nichts, dir nichts hin, wie ich uffwache, und sagt: ›Alter,‹ sagt er, ›Gold behalten is Vaterlandsverrat!‹ Na – Vaterlandsverrat – das is ja nu en jroßes Wort. ›Morgen hast'n blauen Lappen dafor‹, sagt er. Was will ick machen? Weg is er, und ick konnte nicht hinterher.«

Die Kameraden lachten. »Haste'n denn besehn, den blauen Lappen?« fragte einer.

»Wo wer ick nich! Janz neu war er – aber ick denke man so bei mich: Et is doch nischt Reelles! Gold is besser.«

»Hinter dem Gold sind die Bengels her, wie der Deibel hinter der armen Seele«, meinte Kärn lachend. »Aus Helmuts Schule haben sie fünfzigtausend Mark bei der Bank abgeliefert – na, es haben noch ein paar andere Schulen mitgeholfen zu sammeln.«

»Daß es dabei man immer reell zugehn soll, dat kann ick mir nich vorstellen«, sagte Lehmann bedenklich. »En paar Mogeleien wern woll unterschlupfen!«

»Na, höre mal, Lehmann«, nahm der *Dr.* Schmidt das Wort, »wofür sind denn die Lehrer da? Die verstehen den Jungens schon die Bedeutung der Sache klarzumachen, die du vielleicht noch nicht so recht begriffen hast!« *Dr.* Schmidt war selber einer, so ein ganz feiner Oberlehrer, mit einem winzigen Bärtchen auf der Lippe und immer glatt rasiert, die Nägel poliert, der goldene Kneifer fehlte nicht. Der wußte Bescheid über alle Dinge zwischen Himmel und Erde. Er ging als ein wandelndes Konversationslexikon durch die Kaserne, und wer in der Kompagnie irgend etwas erklärt haben wollte, der brauchte bloß Schmidt *IV* zu fragen, er bekam ganz gewiß die richtige Antwort. So hielt denn auch jetzt Schmidt *IV* – es gab nämlich fünf des gleichen Namens beim Regiment – dem langen Lehmann einen Vortrag, daß in einem geordneten Staatswesen für die Banknoten, die im Verkehr umliefen, der gleiche Betrag an Gold in den Banken aufbewahrt sein müsse, was man »Deckung« nenne. Deshalb müsse jeder gute Bürger sich jetzt aller seiner Goldstücke entledigen, um sie zum allgemeinen Besten herzugeben, wie man ja auch sein Blut und seine gesunden Glieder für die Heimat hingeben wolle.

»Na ja, dat is ja allens janz scheene«, meinte Lehmann, der gerade nicht zu den Idealisten gehörte, »wenn de Kugeln sich abersten vor mich fürchten duhn un wollen mir partout nich treffen, denn soll mich's ooch recht sind.«

Helmut war mit den anderen Jungen aus seiner Klasse eifrig beim Goldsammeln, auch Metall- und Nickelgegenstände trugen sie zusammen und Bücher für die Soldaten in den Schützengräben. Da sie meist zu zweien und dreien ihre Wanderungen antraten, gewann er bald eine Menge näherer Freunde. In den Freistunden scharte sich stets ein dichter Kreis um ihn, seinen Geschichten aus Brasilien zuzuhören. Er selbst fühlte sich gar zu gerne als Mittelpunkt und war stolz, wenn das Gelächter seiner Zuhörer über den Schulhof schallte. Besonders beliebt war die Geschichte von dem Anführer der Revolutionäre, der mit seinen Banden eine Zeitlang die Gegend von Waldecke unsicher gemacht und alle Pflanzer in Aufregung gehalten habe, bis er in der Hafenstadt, in einem Handschuhladen, als er sich eben ein Paar rotbrauner Glacés überstreifen ließ, niedergeknallt worden war. In der ganzen Tertia war man der Ansicht, die schnellste Beendigung des europäischen Krieges würde erreicht werden, wenn man Sir Edward Grey mal so in einem Handschuhladen erwischen könne! Dann kam die Zeit, in der Helmuts brasilianische Geschichten vergessen wurden vor der mächtigen Gegenwart. Der Direx trat in die Klasse und verkündigte den Jungen, ihr Klassenlehrer, *Dr.* Gundermann, habe vor Maubeuge den Heldentod fürs Vaterland gefunden. An dem gleichen Tage seien vier aus der Prima gefallen. Der Krieg war den Knaben plötzlich ganz nahe und schrecklich – der Krieg, den sie fast als eine fortwährende Ursache zu allerhand Feiern und Belustigungen zu betrachten sich gewöhnt hatten. Immer mehr Schüler gab es unter ihnen, die den Trauerflor am Arm trugen, die man außerhalb der Schule neben schwarzverschleierten Frauen gehen sah, die sich in dem Geschrei und Gejohle des Schululks still zurückzogen. Man sah sie mit scheuen Augen an. Sie hatten schon das Opfer gebracht, das jeden aus der Jugend heut oder morgen treffen konnte.

VATER FÄHRT INS FELD

Der Vater zieht ins Feld

Helmut stand neben seinem Vater in der Baracke und half ihm den Tornister packen. Er durfte ihm alle die notwendigen Dinge zureichen die Kärn in dem engen Raum auf seinem Rücken zu verstauen hatte: Wäsche, Strümpfe, Kochgeschirr, Seife, Handtuch, Kamm und Bürste, ein Paar leichte Pantoffel, ein Nähzeug, eine kleine Apotheke, einige Konservenbüchsen, ein Neues Testament, abgeschabt und zerlesen. »Das hat ein gut Stück Welt gesehen«, meinte Kärn nachdenklich, indem er es zu den täglichen Gebrauchsgegenständen schob. »Es stammt noch von meinem Vater und hat den siebziger Feldzug mitgemacht. Das war wohl ein Kinderspiel gegen das Würgen von heute. – Ja – Junge – kann ich dir denn nun die Mutter anvertrauen? Willst du ihr immer beistehen, wenn ich nicht wiederkommen sollte?«

Helmut nickte, sein Gesicht verzog sich wunderlich. Vater und Sohn sprachen leise in der Ecke bei Kärns Bett. Ringsumher gab es ähnliche Szenen. Überall wurde noch ein letztes Wort gesagt, denn später auf dem Bahnhof, da hatte man doch nicht mehr die Ruhe. Jeder gönnte es auch dem anderen und tat nicht, als ob er ihn sähe. »Sei auch immer gut zu Daisy«, fuhr Kärn fort. »Was man so von England hört – wie die da drüben unseren Untergang planten ..., da kann man doch nicht mehr daran denken, das Mädchen dem Haß auszusetzen, der ihr um ihres deutschen Namens willen entgegengebracht werden würde. Das arme Kind –.«

»Sie hat ja uns, Vater«, sagte Helmut, »und uns kennt sie doch viel besser als den fremden Großvater!«

»Das meine ich auch, mein Junge. Wir könnten das Mädchen beim Flüchtlingsbureau abgeben, weil's doch bei uns jetzt auch knapp zugeht. Aber das will mir nicht in den Sinn. Das hielte ich geradewegs für ein Unrecht gegen meinen alten Freund. Mutter denkt auch so. Sei nur immer recht rücksichtsvoll gegen den Großvater. Er ist ein kränklicher alter Herr und arbeitet trotzdem so tapfer in der Flüchtlingshilfe! Da ist er zu Haus begreiflicherweise ein bißchen nervös. Und, Helmut, was ich dir noch sagen wollte – der Mensch braucht sich nicht bei jeder Mahlzeit den Bauch vollzuschlagen bis zum Platzen. In den ersten Jahren in Brasilien haben Mutter und ich oft wochenlang nichts anderes gehabt als süße Kartoffeln – und waren froh und gesund dabei! Sieh mal dort den kleinen *Dr.* Schmidt – du gerechter Strohsack, wie will denn der das Zeug alles in seinen Affen kriegen – und damit noch stürmen ...!«

Der Vater war niemals für lange Ermahnungen, und so viel wie jetzt hatte er wohl noch kaum hintereinander zu Helmut gesprochen. Er sah, wie der an seinen Tränen würgte, und wollte ihm über die Rührung forthelfen.

Helmut mußte auch gleich vergnügt grinsen, als er über die graue Wolldecke des kleinen eleganten Oberlehrers hinblickte, der schon mehrere schwergelehrte Bücher geschrieben hatte und nun mit einem ganz verwirrten Ausdruck vor all den Büchschen, Döschen, Rasierpinseln, Nagelfeilen und Polierern, Salben, Unterstrümpfen, Büchern, Schreibgeräten und Heften stand, die noch in den bereits zum Bersten vollen Tornister hinein sollten.

»Herr Doktor«, meinte Kärn gutmütig, »ich rate Ihnen, lassen Sie die Geschichte ruhig hier. Im Schützengraben haben Sie ja doch keine Zeit, alle die Sachen auch nur auszupacken – und 's Marschieren wird Ihnen ohnehin nicht leicht! Ich sehe die Bücher und die Büchschen schon in den Chausseegraben sausen.«

»Ach, lieber Kärn«, seufzte der junge Mann, »vielleicht haben Sie recht. Es ist einmal meine Eigentümlichkeit, allzu weitläufig zu sein und mich von lieben Angewohnheiten nicht gut trennen zu können. Ich bin ja bereit, fürs Vaterland zu sterben – aber wie ich es fertigbringen soll, dem Vaterland zulieb ohne Bücher zu leben – das weiß ich noch nicht!«

»Das lernt sich im Urwald und im Krieg von selbst«, bemerkte Kärn trocken. »Es ist die höchste Zeit, Herr Doktor. Ziehen Sie sich nur die Schnürstiefel an, inzwischen wollen wir sehen, was sich noch unterbringen läßt. Komm, Helmut, halt mir mal das Ding auf.«

Unter Kärns geschickten Händen konnte noch erstaunlich viel von den Heften und den Toilettengegenständen, die Herr *Dr.* Schmidt nicht glaubte entbehren zu können, verstaut werden. Ein Paket Bücher über griechische Lyrik wurde Helmut zum gelegentlichen Nachsenden übergeben.

Dann hing Kärn seinen Affen mit Mantel, wollener Decke und der Zeltbahn, eine ganz gewichtige Last, über die Schulter, stülpte den feldgrauen Helm mit dem bunten Strauß von Astern und Herbstrosen auf den braunen bärtigen Kopf, zog noch einmal die Uniform straff und langte nach dem blumengeschmückten Gewehr. Helmut folgte jeder Bewegung des Vaters mit den Augen. Gesprochen wurde nicht mehr. Jedes Wort schien gleichgültig in dieser Stunde.

Es war ein köstlicher blauer Oktobertag, als die Mannschaft sich sammelte. Über die gelben Stoppelfelder spann sich silbernes Mariengarn, türkisblaue Zichorie blühte an den Wegrändern, der Kiefernwald lag dunkelgrün hinter den roten Dächern der Ortschaft, und weißstämmige Birken wehten mit ihren Goldfahnen über den Häuptern der grauen Krieger. Eine herbe Frische war in der Luft, wie sie nur der Herbst kennt. An allen Drahtzäunen standen Frauen, Kinder, alte Männer mit Paketen, um ihren Angehörigen zum Bahnhof das Geleit zu geben.

Endlich traten die Kolonnen in Gliedern an, es war verblüffend, wie der laute, wilde Wirrwarr sich plötzlich sinnvoll ordnete. Die Offiziere schwangen sich auf ihre Gäule, der Tambourmajor hob den Stab, schmetternd setzten die Trompeten, Zimbeln und Becken ein, die Trommeln wirbelten in einer anfeuernden Marschmelodie. Dröhnend klang der Schritt der schweren Stiefel, aus Hunderten von Männerkehlen tönte der rauhe Gesang zum Sonnenhimmel auf.

Wie war die Heimat doch so wunder-wunderschön! Friedvoll und frei sollst du blühen, Heimat, so dachte jeder Offizier, jeder Soldat, und wenn wir alle darob verbluten müßten! Kehrt keiner von uns Männern wieder – so wachsen aus deutschen Knaben neue Männer auf, um deutsche Ehre und deutsches Wesen hochzuhalten in der Welt!

Wilhelm Kärn marschierte als Letzter in einem Seitengliede, so durfte Helmut während des Marsches neben ihm traben und seine Hand halten.

Der lange Wagenzug stand grünbekränzt in der Bahnhofshalle, viele Wagen trugen mit Kreide komische Inschriften, wie: Hier werden noch Kriegserklärungen angenommen, oder: Jeder Stoß ein Franzos', jeder Schuß ein Russ' und andere Verse, von den Mannschaften dort hingemalt. Jeder eilte zu der ihm angegebenen Wagennummer. Eingekeilt zwischen anderen Männergesichtern, schaute das des Vaters zum Fenster hinaus, und weil alle Helme und Gewehre mit Blumensträußen geschmückt waren, gab das ein lustiges buntes Bild. Der Bahnsteig stand voll von Frauen und Kindern, alten Mütterchen und feinen Damen, die alle den Vätern, Söhnen und Brüdern ein letztes Lebewohl zurufen wollten. Frau Kärn mit den Großeltern und der Gänseblume hatten auf dem Bahnhof gewartet. Der Großvater stand streng aufgerichtet, kein Zug seines weißbärtigen Gesichtes veränderte sich. Über die Mutter mußte Helmut sich wundern. Als der Vater sich in Hamburg stellen wollte, hatte sie so heftig geweint, aber nun der Abschied wirklich da war, schaute sie beinahe fröhlich zu ihm auf und rief ihm allerlei Scherzworte zu. Ebenso die Großmutter. Ein sehr großes, junges, blondes Mädchen in Schwesterntracht lief am Zuge entlang und reichte den abziehenden Truppen Becher mit Kaffee hinauf. Auch der Vater trank eilig. Sie sprang von Wagen zu Wagen, einer der Soldaten rief ihr zu: »Schwester, Sie könnten wir gut beim Sturmangriff brauchen!« Alles lachte, auch Helmut, obgleich er nicht sicher war, ob sich das wohl schicke in dieser feierlichen Stunde. Doch wurden von allen Seiten Witze gemacht und immer wieder die herausgestreckten Hände der Feldgrauen geschüttelt. Bis es endlich doch zum allerletztenmal geschah. Mit dem brausenden Gesang der Mannschaften: »Deutschland, Deutschland über alles« fuhr der Zug aus der donnernden Halle gerade hinein in die flammende Abendröte.

Kriegswinter

Der Siegesjubel über die herrlichen Erfolge der Armeen war stiller geworden. Trotz der ungeheueren Niederlagen der Russen trieb das Zarenreich immer neue Menschenhorden aus seinen unermeßlichen Weiten hervor. Trotz der Besetzung Belgiens und der Eroberung von Frankreichs schönsten Provinzen hatte die Hoffnung auf einen glorreichen Frieden, auf den stolzen Einzug der Truppen durch das Brandenburger Tor noch immer keine Aussicht auf baldige Erfüllung. Auch bei unseren Feinden kämpften starke Mächte für heiligen Besitz. In den Franzosen war ein großer Ernst erwacht. Wie nun der Krieg sich gewendet hatte, war es für sie kein Eroberungskrieg mehr; es galt jetzt auch hier die Rettung des Vaterlandes vor den Barbaren. Denn als Barbaren, als Räuber und Mörder wurden ihnen die Deutschen von ihren Zeitungen hingestellt. Prediger und Lehrer scheuten sich nicht, alle die Lügen, die in Frankreich über die Deutschen verbreitet wurden, der Jugend als Wahrheit zu lehren und auf diese Weise ihre Herzen mit Haß zu erfüllen. In Deutschland galt es für unritterlich, die Feinde zu beschimpfen, aber das wollte man jenseits der Vogesen und des Kanals nicht glauben. Überall an den Fronten stand Tapferkeit gegen Tapferkeit, Opfermut gegen Opfermut.

Ein großes Warten auf Erlösung lag über der Welt.

England wollte Deutschland aushungern; kein neutrales Land sollte ihm mehr Nahrungsmittel liefern. Damit die innerhalb der deutschen Grenzen befindlichen Vorräte ausreichten, begann die Regierung Sparsamkeitsmaßregeln einzurichten. Noch nie, seit die Erde bestand, war einem Millionenvolk die tägliche Nahrung zugeteilt worden. Es schien eine so schwere Aufgabe, wie in der Geschichte von dem Mann, der den Wolf, die Ziege und den Kohlkopf in einem Boot über den Fluß bringen sollte. Fraßen die Pferde, die Kühe, Schweine und Hühner zuviel Kartoffeln, Hafer, Gerste und Weizen, so blieb für die Menschen nicht genug übrig. Verbot man, die Tiere mit dem kostbaren Stoff zu füttern, so starben sie, und es fehlte den Menschen wieder an Fleisch, Milch, Butter und Eiern. Und doch gelang die große Aufgabe, zum Erstaunen der Welt. Zuerst begann man einem jeden das tägliche Brot zuzumessen. Es wurden Brotkarten verteilt, auf die man es beim Bäcker holen mußte. Waren die vorgeschriebenen Abschnitte zu Ende, so gab's nichts weiter. Die Kaiserin und die Prinzessinnen erhielten nicht mehr als die ärmste Fabrikarbeiterin.

Manche unter Helmuts Kameraden in der Schule schimpften, obwohl sie noch reichlich Käse und Wurst zum Frühstück mitbrachten. Andere kauten tapfer ihre trockene Schnitte Kriegsbrot und ließen sich statt Fleisch und Käse von ihren Müttern Geld geben, das sie zu Zigarren für die

Verwundeten, oder für die Väter und Brüder im Feld sparten. Zu den letzteren gehörte auch Helmut. Er hätte sich geschämt, Butter zu nehmen, während er sah, wie dünn sich die Mutter ihr Brot mit Marmelade strich. Die Leckermäuler, die jetzt noch Schokolade und Süßigkeiten lutschten, wurden von den übrigen Jungens verhöhnt und verspottet, denn einen Spaß wollte man doch von der Entsagung haben.

Frau Kärn fand eine Stelle bei der Brotkommission, wo die Karten verteilt wurden. Sie verdiente täglich vier Mark und fünfzig Pfennige. Das gab sie der Großmutter für den Haushalt. Da der Weg von ihrem Bureau nach Charlottenburg zu weit war, aß sie in der nächsten Mittelstandsküche. In allen Stadtteilen gab es solche Küchen, für das Volk, für die Künstler, für Beamte und andere bürgerliche Familien. Manche feine reiche Frau, die alle Finger voller Brillantringe trug, kochte dort das Essen, putzte Möhren, schälte Kartoffeln und achtete es nicht, daß ihre Hände rot und hart von der Arbeit wurden. Junge fröhliche Mädchen bedienten die Gäste, und auf allen Tischen standen Blumen. Helmut hätte am liebsten immer dort gegessen, er fand es viel lustiger als bei den Großeltern.

Überhaupt verlief dieser Winter etwas trübselig für ihn. Er vermißte Sonne und Luft und die gewohnte Arbeit in Feld und Garten. Hatte er die Pferde in der Koppel zusammengejagt, um ihnen den Stempel aufzubrennen, oder war er gewandt wie ein Affe in die Bäume geklettert, um die herrlichen Früchte zu ernten, von denen die Jungen hier nicht einmal die Namen wußten, ja, da war der Vater zufrieden gewesen und hatte ihn gelobt oder nur in sich hineingeschmunzelt. Da draußen hatte er seinen Mann gestanden, hier war er nichts als ein dummer, ungeschickter Schuljunge. Er sah es täglich, wieviel mehr seine Freunde aus der Tertia wußten und konnten als er. Der eine spielte Klavier, der andere die Geige. Karl Wilders machte die feinsten elektrischen Experimente, Georg Lange zeichnete wie ein Erwachsener und redete mit Pringsheim über die Bilder in den Museen, so daß Helmut die Haare zu Berge standen über ihre Klugheit. Zu Haus wurde er auch so viel gescholten, wie nie zuvor in seinem Leben. Entweder er hatte sich die Füße nicht abgetreten, oder die Türen zugeschlagen, oder er kam mit ungewaschenen Händen zu Tisch, was die Großmutter durchaus nicht leiden wollte. Er verlor am Ende jedes Selbstgefühl und kam sich wie ein rechter Urwaldstölpel vor. Dabei wurde er immer unleidlicher. Die hübsche Gänseblume, die der Großmutter brav und geschickt zur Hand ging, wurde ihm beständig als Beispiel hingestellt, bis er sie am Ende nicht mehr ausstehen konnte. Er sprach nur noch das Nötigste mit ihr, ging brummig herum und fühlte sich einsam und unverstanden. Der Vater fehlte ihm an allen Ecken und Enden – niemals waren sie früher getrennt gewesen, immer hatten sie zusammen gearbeitet. Die Nachrichten von ihm liefen selten und spärlich ein. Er schrieb, sein Regiment werde vielleicht nach Polen versetzt, um an den Karpathenkämpfen teilzunehmen, und er sei zum Unteroffizier befördert, habe auch das Eiserne Kreuz. Das war eine Freude; Helmut erzählte es jedem, der ihm begegnete, sogar seinem Freunde, dem Schutzmann Müller an der Ecke der Schloßstraße, den er stets um Rat zu fragen pflegte, wenn er nicht wußte, welchen Tram er nehmen müsse, oder wie er zu gehen habe, um sich in der Riesenstadt nicht zu verlaufen. Dann aber hörten sie wochenlang nichts von dem Vater, wußten nicht, ob er noch lebte oder dort in dem fremden, verschneiten Gebirge gefallen war.

Bisher war es mild und regnerisch gewesen. Das Ende des Februar brachte mit einemmal noch einen großen Schneefall und gleich darauf harte Kälte. Alle Türme und Dächer trugen weiße Hauben, die Bäume glitzerten wie in Silber eingesponnen und mit weißen Blütenbüschen geschmückt; die Straßen waren glatt und schienen von der Sonne mit tausend Funkellichtern bestreut, nur die Geleise der Straßenbahnen zogen sich dunkel durch die lichte Pracht. Ein ungewohnter, märchenhafter Anblick für Helmut. Die Mutter hatte ihm in Brasilien oft vom Schnee erzählen müssen. Einmal, als er krank war und vor Fieberhitze glühte, hatte sie ihm die Geschichte von der schönen Königin erzählt, die am Fenster saß und nähte, und sie wünschte sich ein Kind, so rot wie Blut, so weiß wie Schnee; das solle dann Schneewittchen heißen. Helmut hatte die Mutter mit Fragen geplagt, wie weiß und wie kalt denn der Schnee sei. Die Affen hatten in den Mangobäumen gekreischt, wo sie sich Früchte stahlen; die Mutter hatte durchs offene Fenster auf die blütenumrankte Veranda gezeigt, auf deren Boden das Mondlicht hell und weiß lag, und hatte gesagt: »Das sieht beinahe so aus, als habe es geschneit.« Nun sah er den Schnee in Wirklichkeit und schritt lachend durch das Flockengewirbel. Schnell lernte er, die Schneebälle formen, und beteiligte sich mit Feuereifer an der Schlacht auf dem Schulhof. Als er vor der Haustür mit der Gänseblume zusammentraf, sauste der ein wohlgezielter Ball in den Nacken, so daß sie laut aufkreischte, ihn aber gleich gewandt zurückgab.

In früheren Jahren hatten sich bei jedem Schneefall sofort Hunderte von Schippern eingestellt, um zum Bedauern der Kinder die Straßen der Hauptstadt von der verkehrshindernden Decke zu befreien. Die Schipper taten jetzt in den Schützengräben ihre Arbeit. Darum wurde von den Lehrern die Jugend aufgerufen, ihr Amt zu versehen. Das gab einen Heidenjubel. In der einen Straße hackten, schaufelten und schippten die Backfische in ihren weißen, roten und blauen Sportjacken unter Aufsicht frischer jugendlicher Lehrerinnen, in der nächsten mühten sich die Buben, die sehnigen Gestalten der Jugendwehr mit ihren graugrünen Joppen, die schwarz-weiße Binde um den Arm; die Pfadfinder mit den seitwärts aufgeschlagenen Hüten kommandierten wichtig. Die Kleineren, ebenfalls in allerlei bunten Sweaters und Sportjacken, schlugen sich mit dem schweren Gerät herum, das sie, weil es für kräftige Männerarme berechnet war, kaum bewältigen konnten.

Geschrei und Gelächter gab es auf beiden Seiten, und jeder tat seine Pflicht nach Kräften, wenn auch oft ein bißchen ungeschickt. Das war nun etwas für Helmut. Dergleichen verstand er besser als die Berliner Großstadtjugend. Er schwang die Spitzhacke, hieb in das festgefrorene Eis des Fahrdammes, daß es nur so eine Art hatte. Bald war er der Anführer einer ganzen Schar von Kameraden, die er anstellte, so daß Zug und Ordnung in die Sache kam. Im Laufe von zwei Stunden war die Straße glatt und rein, der Schnee zwischen Damm und Bürgersteig sauber aufgeschichtet. Strahlend, mit leuchtenden Augen und roten Backen kam er nach Haus. Zum erstenmal seit langer Zeit schwatzte er wieder lustig mit der Gänseblume und schilderte ihr drollig, wie zwei Primaner, solche, die schon Siegelringe und Bügelfalten trugen und die Aufsicht hätten führen sollen, sich an einen Kohlenwagen gelehnt und in ein wissenschaftliches Gespräch vertieft hätten, statt sich um die Kleinen zu kümmern.

»Weißt du«, bemerkte er pfiffig, »sie sagten, sie führten ein wissenschaftliches Gespräch – dabei quatschten sie nur über Mädchen. Ich habe es genau gehört!«

Einige Tage später nahm seine Mutter nach dem Abendessen Hut und Mantel.

»Wo willst du denn noch hin, Mutti«, fragte Helmut, »es ist Glatteis und ganz gefährlich auf der Straße.«

»Ich möchte in die Kriegsbetstunde in der Gedächtniskirche«, antwortete die Mutter, »es wird mir schon nichts geschehen!« »Dann will ich mit dir gehen und dich führen«, rief Helmut schnell. Sie nahm sein Anerbieten gerne an. Schon auf dem Wege zum Tram bereute er ein wenig seinen schnellen ritterlichen Entschluß. Dort in der Kirche gab es gewiß viele Frauen, die weinen würden, das war ihm höchst peinlich. In dem Tram stellte er sich recht deutlich vor, wie seine Mutter mit gebrochenem Fuß mitten auf dem Damm liegen und womöglich noch ein Auto kommen und sie überfahren würde. Auf diese Weise überzeugte er sich, daß es von großer Wichtigkeit sei, wenn er an ihrer Seite bliebe.

Sie saßen oben auf dem Chor. Helmut blickte auf die goldenen Mosaikwände, auf denen im gedämpften Licht des Kronleuchters Engel mit farbigen Flügeln, Gestalten von Aposteln und Heiligen erschienen. Solche Pracht sah er noch nie. Sie diente zum Rahmen für die Frauen, die das Schiff der Kirche in dichtgedrängten Reihen füllten; gar manche trug den langen schwarzen Witwenschleier. Doch auch viele Männer waren gekommen, alte und junge Feldgraue und hohe Offiziere, die an den Marmorsäulen lehnten, weil sie keinen Platz mehr gefunden hatten. Helmut entdeckte auch einige Jungen seines Alters – es waren wohl Konfirmanden – ihre Gegenwart gab ihm gleich ein Gefühl größerer Sicherheit.

Nicht alle Kerzen waren entzündet; ihr Licht schwamm in einer goldigen Dämmerung, aus der vom Altar die weißschimmernde Gestalt Christi grüßte. Die Orgel begann zu spielen; ihr wundervoller Klang schwebte überirdisch zart durch das hohe Gewölbe, Frauenstimmen erhoben sich zu einem Psalmengesang von unendlicher Süße, anschwellend zu feierlicher Erhabenheit.

Dem Knaben aus der Wildnis, der nur die Farmhäuser der Ansiedler kannte und den rauhen, etwas unreinen Gesang der Schulbuben seiner Klasse, ist zumut, als solle ihm das Herz zergehen bei der himmlischen Musik. Er neigt den Kopf, faltet die Hände und fühlt Gottes Nähe.

Während der Predigt des Pfarrers beginnen seine Gedanken zu schweifen.

Alle diese Menschen um ihn her bitten, wenn sie ihre Häupter neigen, um ein teures Leben – Gott wird ihre Bitten nicht erhören, das ist entsetzlich. Eine Angst erfaßt ihn. Vielleicht, wenn er mit der Mutter heimkommt, liegt auf dem Tisch der Brief mit dem Amtsstempel, der ihnen meldet, daß der Vater gefallen ist.... Ihm gegenüber an der Wand hinter dem Altar sieht er das Bild eines hohen strengen Mannes. Gerade aufgerichtet stützt er sich auf sein langes Schwert. Gott trägt jetzt auch ein Schwert und mäht erbarmungslos die Menschen dahin, Gute und Böse miteinander. Und Jesus steht weißschimmernd in der Marmorhütte über dem Altar, blickt ernst und gütig und kann nicht helfen.

Mutter und Sohn schritten durch den Schnee und Mondenglanz, der hell über den Häusern lag. Sie gingen langsam, die Mutter stützte sich auf Helmuts Arm.

»Mutter«, sagte der Junge plötzlich heftig, »glaubst du, daß wir noch einmal im Leben nach unserem Waldeck zurückkehren werden? Glaubst du, daß wir Vater noch einmal wiedersehen? Oder haben wir alles, alles verloren?«

Frau Kärn bewegte schweigend den Kopf, sie konnte nicht reden. Seit drei Wochen hatte sie keine Nachricht mehr von ihrem Manne.

»Der Pfarrer hat ja wieder so schön und tröstend geredet«, begann sie nach einer Weile und ihre Stimme klang verzagt. »Aber ich weiß nicht – mir waren es nur leere Worte. Ich will ja tapfer und mutig sein, nur – die Kraft ist nicht mehr da. Ich kann auch nicht mehr beten – nein, wenn ich beten will, empört sich mein Herz gegen Gott. Ich sage mir: Wie kann er so grausam sein – wie kann er seine Menschenkinder so peinigen? Er ist kein Gott der Güte ...«

Helmut fühlte, daß die Mutter ihm mit ihrem Vertrauen etwas Kostbares schenkte. Also auch ihr ging es wie ihm selbst; sie zweifelte, sie schlug sich mit vielerlei Gedanken über Gott herum, sie konnte zu keiner Klarheit kommen. Wie bleich und müde sah sie aus! Inbrünstig wünschte er, ihr etwas sagen zu können, was ihr helfen möchte.

Plötzlich sah er aus der Vergangenheit ein Bild deutlich in seinem Gedächtnis auftauchen. »Weißt du noch, Mutter«, rief er lebhaft, »wie unsere schöne Bläß – die mit dem weißen Fleck auf der Stirn, die so viel Milch gab, in der Nacht so krank wurde? Sie hatte was Giftiges gefressen und lag so aufgetrieben im Stall und brüllte in Todesangst. Weißt du noch, wie Vater da das große, scharfgeschliffene Messer holte, und wir alle mußten die Kuh halten, und er stieß ihr das Messer in den Bauch? Es war doch gräßlich anzusehen.... Aber das böse Gas ging fort und unsere Bläß wurde wieder gesund. – Vielleicht – ich weiß ja nicht – es ist wohl dumm – ich dachte nur gerade: Vater hatte das Tier doch schrecklich lieb und stach so derb zu ...«

Helmut schwieg verlegen, denn er genierte sich, so viel geredet zu haben und den Herrgott mit seinem Vater zu vergleichen. Die Mutter drückte seinen Arm an sich. Beide fühlten sich befreit und getröstet.

Eine Enttäuschung und neue Aussichten

Helmut war mit seiner Mutter in der Dorotheenstraße gewesen, um dort die Verlustlisten, die mannshoch die Mauern bedeckten, durchzustudieren. Sie hatten sich auch auf dem Bureau erkundigt. Man sagte, solange ihnen noch keine Anzeige vom Regiment zugegangen sei, wäre noch kein Grund zur Beunruhigung vorhanden. Die neuen Frühlingsoffensiven hätten eingesetzt, weiter und weiter dringe unser Heer ins Innere von Rußland ein, da sei es denn oft für die Truppen unmöglich, Nachricht bis an die nächste Feldpoststelle gelangen zu lassen. Das alles klang sehr verständlich. Aber es beruhigte Helmut keineswegs. Er meinte, wenn sein Vater wirklich gesund sei, so müsse es ihm auf irgendeinem Wege möglich sein, eine Karte in die Heimat gelangen zu lassen. Wahrscheinlich war er verwundet oder krank, lag in Fieberphantasien in irgendeinem Lazarett; oder er war gefangen, man hatte ihn fern nach Sibirien verschleppt! Alles, was der Junge in den Zeitungen an Leiden und Quälereien las, die von Feinden über unsere Gefangenen verhängt worden waren, stellte sich mit schrecklichen Bildern vor seiner Phantasie ein, raubte ihm den Schlaf und verfolgte ihn auch am Tage. Von einem Schulkameraden erfuhr er, es seien Verwundete von dem Regiment, bei dem sein Vater stand, in einem Lazarett in Tempelhof eingetroffen. Der Kamerad hatte einen Vetter dabei, den er besuchen wollte. Helmut schloß sich ihm sofort an. Er hörte unterwegs, das Regiment sei in schwere Kämpfe verwickelt und fast aufgerieben worden. Jetzt befinde es sich wieder mehr im Norden in Ruhestellung, um sich zu erholen und neu aufgefüllt zu werden. Das klang nicht sehr ermutigend.

Die beiden Jungen fuhren wohl eine Stunde lang mit dem Tram durch die ungeheure Stadt, vorüber an dem weiten sandigen Platz, wo im Frieden die glänzenden Kaiserparaden stattfanden. Der Mitschüler zeigte Helmut die einsame große Pappel, unter der der Kaiser mit seinem Stabe zu halten pflegte, um die Truppen an sich vorbeimarschieren zu lassen. Doch hatte Helmut heute kein Interesse für seine Erzählungen – er war zu gespannt auf die Nachrichten, die er empfangen würde. Endlich kamen sie in die Lazarettstadt – so konnte man sie wohl nennen, diese Gruppen von sauberen Häusern zwischen freundlichen Gartenanlagen, in denen schon Hyazinthen und Krokus blühten. Die verwundeten und genesenden Krieger wandelten oder saßen im Sonnenschein. Das Herz schlug Helmut mächtig, als sie beide in den Saal traten, wo die Brandenburger lagen. Zwei lange Reihen weißer Betten, mit vielen, vielen Männerköpfen auf den Kissen. Manche trugen Verbände um Stirn und Wangen, die Arme in Binden. Zwischen ihnen hin und her gehend freundliche junge Schwestern in weißen Häubchen und weißen Schürzen, Scherze machend, Kaffeebecher verteilend, hier und da eine Handreichung leistend, einem die Kissen höher rückend, einem anderen den Becher an die Lippen setzend. Und Blumen, Schalen mit Äpfeln und Orangen überall neben den Betten auf den niedlichen Glastischchen.

Helmut hatte geglaubt, in einem Lazarett müsse eine Totenstille herrschen. Indessen hallte in dieser Nachmittagsstunde der Saal wider von fröhlichem Lachen und Plaudern. Fast neben jedem Bette hatte sich Besuch eingefunden, jeder kam mit kleinen Geschenken an für die verwundeten Lieben. Eine Dame in Trauer ging durch die Reihen und verteilte Pfannkuchen, eine andere Zigaretten. Der Vetter von Helmuts Kameraden war noch ein junges Bürschchen, kaum achtzehn Jahre alt, durch einen Schuß ins Knie schwer verwundet. Er hatte Fieber, ganz blanke Augen in einem blassen zarten Gesicht. Mit scheuer Bewunderung blickten die beiden Knaben auf das Eiserne Kreuz, das über seinem Bette hing. Gern gab er Bescheid auf alle Fragen Helmuts. – Ja – einen Wilhelm Kärn, älteren Landwehrmann – dritte Kompagnie – freilich – war denn der nicht....

Er wandte sich an seinen Bettnachbar: »Du, Kamerad, war denn der Kärn nicht auch auf dem Verbandplatz, nach der Attacke da bei dem Dorfe, wo wir die Kerle, die Russen, rausschmissen?« »Kärn – Friedrich?« »Nein, Wilhelm.« »So, Wilhelm. Kann mich nicht besinnen, mein Kopp is alleweilen bißchen dösig ... So'n großer, mit 'nem braunen Vollbart?« »Ja, ja«, fiel ihm Helmut heiser vor Aufregung ins Wort. »Is denn der nich gefallen? Ich meine, der lange Lehmann hätte gesagt – den Kärn, den hat's nu ooch....« »Ach, bewahre – was der schwatzt! Ich habe ihn deutlich in Erinnerung. Ein freundlicher Mann, ließ mich noch aus seiner Flasche trinken. Mich dünkt, es war bei ihm ein Kopfschuß – er hatte sich's Taschentuch umgewickelt, und das war ganz voll Blut.«

Er sah, wie Helmuts Lippen zuckten, wie er grünweiß wurde. »Na, darum braucht es noch nicht gefährlich zu sein – an Blut gewöhnt man sich da draußen«, fügte er tröstend hinzu. »Und dann?« drängte Helmut, »was wurde dann mit ihm?« »Ja, das kann ich nicht sagen, mich haben sie narkotisiert – weiter weiß ich nichts mehr. – Da drüben liegt noch einer von unseren Leuten, vielleicht fragen Sie den mal?«

Doch dieser Verwundete war von einer anderen Kompagnie und hatte Kärn nicht gekannt. Neben ihm saß eine hübsche, blühende Frau, deren glänzende Braunaugen mit warmer Teilnahme auf Helmut blickten. »Das ist schwer, die Ungewißheit um einen Menschen, den man liebt«, sagte sie freundlich. »Ich hab's auch durchgemacht, um den großen dicken Kerl hier!« Dabei schlug sie ihrem Manne zärtlich auf die Hand.

»Schweres wird jetzt keinem erspart«, meinte der ernst. »Sieh mal den dort drüben« – er meinte den Vetter von Helmut's Schulfreund – »das ist ein Held. Gestern hat ihm der Arzt eine Menge Knochensplitter aus dem Bein genommen. Nicht gemuckt hat er, immerfort gelacht und gespaßt! Nachts –

da höre ich ihn, wenn er sich vor Schmerzen nicht zu lassen weiß und das Kopfkissen vor den Mund preßt, damit sein Wimmern keinen im Schlaf stört. Achtzehn Jahre – aber ein Mann, ein ganzer Mann!«

Helmut saß betäubt von Traurigkeit. Was sollte er jetzt tun? Er hatte so fest darauf gebaut, durch die Kameraden eine Nachricht vom Vater zu erhalten. Der Verwundete, ein älterer Landwirt, redete mit seiner Frau über die Frühjahrsbestellung und wie schwierig es sei, die Leute für die dringendsten Arbeiten zu bekommen. Sie habe sich schon um mehr Gefangene ans Ministerium gewandt, man habe ihr auch welche versprochen. Ein paar Wandervögel hätten sich für die Osterferien angeboten, doch die Stadtjungen, so gut sie's auch meinten, seien doch so unbewandert in ländlichen Arbeiten und müßten erst mühsam angelernt werden.

»Nehmen Sie mich als Hilfe für die Ferien«, sagte Helmut plötzlich – er wußte selbst kaum, was ihn zu dem jähen Entschlusse trieb. Aber er war gleich ganz klar und bestimmt. Er versicherte dem Landwirt und seiner Frau, daß er Bescheid wisse mit der Arbeit in Stall und Feld. Der Verwundete fragte ihn aus; seine Antworten zeigten gute Kenntnisse. »Na, wie wär's, Frau?« fragte der Verwundete, »wollen wir's mal mit dem jungen Herrn probieren? Aber keiner Arbeit wird sich geschämt – Mist muß gefahren werden und Jauche, das riecht nicht schön, ist aber notwendig.« Helmut lachte. »Kenn' ich, kenn' ich! Unsere Maisfelder mußten auch gedüngt werden und die Bananenbüsche! Das habe ich immer allein mit unserem Neger besorgt!« »Na, denn also los! Wenn's Mutter erlaubt!« »Die wird's erlauben – die ist froh, einen Esser los zu sein.« Es wurde nun noch ein kleiner Lohn für Helmut verabredet, volle Beköstigung und Nachtquartier solle er im Hause bekommen und am ersten Tage der Ferien antreten.

Helmut stürmte nach Haus. Die neue Aussicht überwog die Enttäuschung. Still und brav bei der Bäuerin arbeiten? – Nein – da hatte er ganz andere Pläne im Sinn! Schweigen – nur schweigen und sich nicht verraten!

LANDARBEIT IM KRIEGE
RUDOLF
SIEVERS

Helmut und Frau Ledderhose

Helmut kam gut aus mit Frau Anne Ledderhose. Sie war eine frische lustige Frau. Wenn sie des Sonntags zum Kirchgang angekleidet war, sah sie aus wie eine feine Dame. Am Alltag trug sie derbe Waschkleider, stand des Morgens um drei Uhr vor dem Kuhstall, das Melken zu beaufsichtigen, stapfte hochgeschürzt, in Transtiefeln, mit dem alten Lodenmantel ihres Mannes angetan, über die aufgeweichten Frühlingsäcker und fuhr den ganzen Tag lang unermüdet wie eine Lokomotive unter Volldampf durch Haus und Hof, um überall nach dem Rechten zu sehen. Die Mägde, alte und junge, hatten mächtigen Respekt vor ihr. Die gefangenen Russen, die zur Männerarbeit auf dem Hofe waren, und viel lieber träumend in der Sonne lagen als pflügten oder säten, die sperrten Mund und Nase auf, wenn Frau Anne sie derb an der Schulter packte und deutsch auf sie einschalt. Verstanden sie die Worte auch nicht, den Ton der hellen Stimme begriffen sie ganz gut. Willig ließen sich die sechs Mann abends um acht Uhr von ihr in den Schuppen einschließen, wo ihr Nachtlager war. »Ich habe doch die Verantwortung für die Kerls«, pflegte sie zu sagen, »es soll mir niemand nachreden, daß Frau Anne Ledderhose einen hätte entwischen lassen!«

Eines Morgens weigerte sich einer der Gefangenen, zur Arbeit anzutreten. Brummig erklärte er, mal ausschlafen zu müssen! »Laßt ihn nur schlafen«, sagte Frau Anne und ein kleiner pfiffiger Zug spielte um die Winkel ihres roten Mundes. Als die Kameraden mit ihren Näpfen mittags in der Küche vor dem großen Kessel antraten, aus dem Frau Anne auszuteilen pflegte, sah sie den Langschläfer groß an und schüttelte den Kopf. Drauf nahm sie ihn beim Ärmel und führte den Riesenkerl unter allgemeinem Gelächter zum Schuppen zurück, wies auf seine Matratze und sagte: »Schlafen – nicht essen! Arbeiten – gut essen! Verstanden?« – Na, er hatte verstanden, der Rußki. Am nächsten Morgen stand er brav mit den andern beim Rübenstecken. –

Sonst wurde nicht geknausert mit dem Essen auf dem wohlhäbigen Bauernhof. Von Kriegsnot merkte man im Frühling 1915 noch nichts. In die fett mit Leber- oder Blutwurst belegten Butterbrote biß auch Helmut mit Vergnügen.

Die Näpfe der russischen Arbeiter faßten ein Liter zusammengekochtes Essen. Aber damit hatten die Fresser oft nicht genug. Es war, als müßten sie sich hier für die Not und Entbehrung eines ganzen Lebens schadlos halten. Besonders das Faultier, der verschlafene Riese, aß für zwei. »Ich möchte nur wissen, wann der mal von selber aufhören würde«, sagte Frau Anne lachend, und es reizte sie, den Versuch zu machen. Als es einst Kohlrüben mit Schweinefleisch gab, ein Gericht, für das er eine besondere Vorliebe hatte, durfte er kommen und sich seinen Napf füllen lassen, so oft er wollte. Mit einem spitzbübisch freundlichen Gesicht schwang Frau Ledderhose ihre Kelle und fragte immer wieder aufmunternd: »Noch mehr?«

So vertilgte er denn nach und nach fünf Liter Kohlrüben und Schweinefleisch mit den dazugehörigen Kartoffeln. Was nur auf dem Hofe Beine hatte und einen Mund zum Lachen, kam angelaufen: Mädchen, Kinder, der halbblinde Schafhirte und das gichtgekrümmte Mütterchen, die Frau Annes Kindermuhme gewesen war, sie alle betrachteten staunend die Meisterleistung.

Als die fünf Liter verzehrt waren, klopfte sich der Riese wohlgefällig den Bauch, schmunzelte über sein ganzes gutmütiges Gesicht, wischte sich mit dem Handrücken das Fett aus den Mundwinkeln und küßte Frau Anne ehrfurchtsvoll dankbar den Rocksaum. So spaßige Dinge passierten oft in Jarmlitz. Helmut wäre am liebsten ganz und gar dort geblieben. Des Abends erzählte er denn auch die Geschichte von dem Neger bei ihnen in Waldecke, der sich nichts Schöneres wußte als einen Brei von altem Zeitungspapier, das er sich mit Wasser sorgfältig verrührte und mit Wohlgefallen verspeiste. Die Kinder brüllten vor Lachen und Frau Anne bog sich. Helmut hatte überhaupt ein dankbares Publikum für seine Erzählungen aus Brasilien. In den Augen der Ledderhoseschen Kinder war er ein anstaunenswerter, fremdländischer Abenteurer, das behagte ihm nicht wenig. Als er eines Abends, während sie vor der Haustür saßen, behauptete, auf seinem Schulweg im Walde sechs Leoparden begegnet zu sein, von denen er vier Stück niedergeknallt habe, so daß die übrigen voller Schrecken davongetrabt seien, meinte Frau Anne gemütlich: Es bleibe nichts anderes übrig, er müsse durchaus Förster werden! Er könne ja schon beinahe aufschneiden wie der alte Jäger am Stammtisch im Adler.

Helmut lachte, aber er wurde doch ein bißchen rot. Frau Ledderhose erlaubte sich auch, seine Leistungen zuweilen ungenügend zu finden, und ihm das derb zu sagen. Er war zur Hilfe auf dem Hof, mußte Zäune ausbessern, den Hühnerstall in Ordnung bringen, mit ihr gemeinsam den Garten bestellen. Sie verstand die Leute zur Arbeit anzuhalten, – keine Minute durfte jemand in ihrer Gegenwart müßig bleiben. Auf dem großen Hof blitzte alles vor Sauberkeit. Die Kühe in den Ställen lagen auf reinlicher Streu, selbst die Gänge zwischen den Schweinetrögen mußten am Sonnabend gescheuert werden. Die Wintersaaten standen frischgrün auf den Feldern, die Obstbäume waren regelrecht beschnitten und im Garten neben Kohl und Rüben der Flor der Sommerblumen auf den Rabatten nicht vergessen. Wie im tiefsten Frieden blühte und gedieh hier alles unter der Hut der tapferen Frauen, während die Männer draußen an der Front des Vaterlandes Ehre verteidigten und mancher schon als ein Held gefallen war.

»Im Winter«, erzählte Frau Anne Helmut, »da war's schlimm mit dem Lichtmangel. Kein Petroleum aufzutreiben, von vier Uhr an saßen wir Frauen im Finstern und konnten nichts mehr tun! Wir haben Kienspäne angezündet und dabei gestrickt, wie zu Urgroßvaters Zeiten!« – Sie schüttelte sich. »So im Dunkeln kriechen die Sorgen eklig an einen heran. Ich habe die Tagelöhnersfrauen zu mir geholt, ein ordentliches Feuer im Ofen, Kaffee gekocht und Geschichten erzählt! So ging die Zeit, bis wir in die Klappe krochen! Jetzt gebe ich das Geld her, das mir einen Pelz schaffen sollte, und lasse elektrisches Licht legen zum nächsten Winter! Der Mensch muß sich zu helfen wissen.«

Helmut betete Frau Ledderhose an, sie erschien ihm als die schönste und klügste Frau, der er jemals begegnet war. Ja, er versuchte sogar ein Gedicht an sie zu machen. Das begann:

Frau Anna Ledderhose,

Du hohe Königin,

Du liegst mir tief im Herzen,

Im Herz und auch im Sinn.

Soviel er auch nachgrübelte, die Fortsetzung fiel ihm niemals ein, und so blieb es bei diesem einen schönen Verse.

Trotzdem es ihm in Jarmlitz so gut gefiel, vergaß er doch in keinem Augenblick den tiefsten Zweck seines Aufenthaltes hier.

»Geldgierig ist der Bengel, da ist schon das Ende von weg«, scherzte Frau Anne. »Jeden kleinen Extradienst läßt er sich auch extra zahlen! Sag' nur, was willst du eigentlich mit dem vielen Gelde anfangen? Ich hoffe, wenn du nach Berlin kommst, gehst du gleich zu Wertheim und kaufst mir ein feines Geschenk! Eine echt silberne Handtasche oder Uhrkette erwarte ich mindestens!«

Helmut wurde rot und schwieg verlegen. Als die Osterferien zu Ende gingen, sorgte Frau Anne für ein tüchtiges Futterpaket, allerlei Gutes für die Mutter war auch darin. Die ganze Familie brachte Helmut zur Bahn. Alle hatten ihn liebgewonnen, die Kinder hingen rechts und links an seinen Armen und konnten sich kaum von ihm trennen.

Am übernächsten Tage empfing Frau Anne Ledderhose einen Brief von Helmut. Sie erwartete, er würde ihr seine glückliche Ankunft in Berlin melden, doch das Schreiben enthielt nur folgende Worte:

Liebe Frau Ledderhose!

Wenn Sie Ihren Mann in Berlin besuchen, so gehen Sie bitte zu meiner Mutter und sprechen ihr Mut ein. Alles wird gut werden. Ich fahre nach Rußland, an die Front, um meinen Vater zu suchen. Mit herzlichen Grüßen

Ihr
Helmut Kärn.

Frau Anne faßte sich bestürzt mit beiden Händen an den Kopf. Der unsinnige Junge! Wie kann er auch so etwas tun! Na – sie werden ihn schon baldigst wieder heimschicken! Jedenfalls muß ich nach Berlin fahren und mit der armen Mutter reden! Übrigens – vielleicht bringt der tolle Kerl es fertig, seinen Vorsatz auszuführen. Schneid und Energie genug hat er.

Als Frau Ledderhose bei den Großeltern und Helmuts Mutter eintraf, fand sie begreiflicherweise die ganze Familie in größter Aufregung. Helmut hatte auch der Mutter von seinen Absichten Nachricht gegeben, aber eben diese Absicht brachte ihren Jungen ja in die ernstesten Gefahren.

Der Großvater hatte sich sofort zur Polizei begeben und gefragt, was man tun könne, um des Knaben wieder habhaft zu werden. Der Beamte hatte lächelnd gemeint, solche Ausreißer gäbe es eine ganze Menge, meistens kämen sie nach ein paar Tagen, wenn der Hunger sie plagte, von selbst zu den heimatlichen Futternäpfen zurück. Man solle nur ruhig noch ein wenig warten, bevor man mit der amtlichen Nachforschung beginne, die doch immerhin nicht unerhebliche Kosten verursachen würde. Man wartete also ohne viel Hoffnung, denn es lag nicht in Helmuts Charakter, so bald einen seit langer Zeit gefaßten Plan aufzugeben. Hungern würde er nicht, denn er hatte außer seinem Gehalt von Frau Ledderhose, das noch durch einen harten Taler vermehrt worden war, sein zusammengespartes Taschengeld und das Weihnachtsgeschenk des Großvaters bei sich. Stehlen würde er sich's schon nicht lassen, dazu war er viel zu gewitzigt. Das Zureden der lebensfrischen Frau Ledderhose beruhigte Frau Kärn etwas. So viele Mütter mußten jetzt ihre Söhne in Gefahr und Tod hinausziehen lassen! Da wollte sie an Heldenhaftigkeit gewiß nicht zurückstehen.

Als nach mehreren Tagen Helmut nicht heimkehrte, begann die Polizei ihre Nachforschungen. Man sandte Telegramme und Bilder des Jungen an verschiedene Bahnhöfe und brachte auch bald in Erfahrung, daß ein junger Mensch, auf den die Beschreibung stimmte, am Abend des Tages, an dem Helmut von Jarmlitz nach Berlin zurückgekehrt war, ein Billett nach Königsberg gelöst hatte. Ein Bahnschaffner wollte ihn auch im Zuge gesehen haben, doch das lautete schon viel unbestimmter. Und dann verlor sich seine Spur gänzlich.

OST · PREUSSEN

Die Flüchtlinge und der unheimliche Wald

Der Regen rauschte – so ein rechter, fruchtbarer Frühlingsregen, unter dem Saaten und Knospen sprießen, der aber auch die Landstraßen zu Brei verwandelt und dem Wanderer feuchtkalt durch alle Kleider dringt. Tief hingen die Wolken über der traurig verwüsteten Gegend, in der die Russen gehaust hatten. Wie ein zerbrochener Armstumpf ragte der seiner Spitze und seiner Glocken beraubte Kirchturm in die graue Luft. Öde starrten die leeren Fensterhöhlen aus den brandgeschwärzten Mauern des Schiffes der kleinen Kirche. Ringsumher Schutthaufen verbrannter, eingestürzter Häuser, in den Gärten Überreste von mutwillig zerbrochenem Hausgerät, Fetzen zerschlitzter Federbetten. Nur die steinernen Kamine der Herde ragten aus der Verwüstung empor. – Doch an allen Ecken und Enden waren schon Menschen an der Arbeit, um die liebe Heimat wieder zum Wohnsitz für die zurückgekehrten Besitzer herzurichten. Es wurde gegraben, Steine wurden geschleppt, Balken aufgerichtet. Finster blickten die Männer, vergrämt die hageren Frauen. Wieviel sie durch die Besetzung Ostpreußens durch die Feinde verloren, das konnten sie erst jetzt überschauen. All das schöne Vieh, das irgendwo in den Wäldern verhungert war oder von den Russen verzehrt!

Schwerfällig arbeitete sich durch die zerweichte, schlammige Landstraße wieder so ein Planwagen mit heimkehrenden Flüchtlingen heran. Was lag da alles beieinander unter dem Regendach. Säcke mit Wäsche und Kleidern, eine Kiste mit Saatkartoffeln, das Spinnrad der Mutter, das alte Gesangbuch der Großmutter, ein weißes Zicklein, das die Flucht wie den Aufenthalt in der Stadt vergnügt überstanden hatte und im Begriff war, sich zu einer stattlichen Ziege auszuwachsen. Zwischen ihren geretteten Sachen kauerten auf Kissen und Decken die Familienglieder, alt und jung. Endlich fand der Vater, der neben den Pferden herschritt, den Platz, auf dem sein Häuschen gestanden hatte. Es war nicht so leicht gewesen, denn das Dorf hatte durch den Brand und die Beschießung ein völlig verändertes Aussehen bekommen. Der Wagen hielt, einer nach dem anderen steckte den Kopf unter der nassen Leinewand hervor und begann, im triefenden Regen vom Wagen zu klettern. Da fand sich auch einer unter ihnen, der nicht zu der ostpreußischen Flüchtlingsfamilie gehörte. Das war Helmut Kärn. Bis hierher an die russische Grenze war er ohne viel Beschwerde gelangt.

Zwar hatte es ein paarmal unvorhergesehenen Aufenthalt gegeben, viel Militär war an ihm vorübergefahren, aber mit seinem Billett kam er sicher nach Königsberg. Schwierig wurde die Sache erst, als Helmut auf die Kleinbahnen geriet, die ihre Fahrpläne nicht mehr innehielten, auf denen man Zivilpersonen fast gar nicht mehr beförderte. Doch Helmut wußte sich immer irgendwie einzuschmuggeln. Bat er einen der Soldaten so recht flehentlich, ihn doch mitzunehmen, weil er seinen Vater in einem Lazarett an der russischen Grenze suchen müsse, so erlaubten ihm die gutmütigen Feldgrauen gewöhnlich, sich zwischen ihnen einzuquetschen, obwohl sie meistens schon so eng saßen, wie die Bücklinge in ihren Kisten.

Plötzlich hieß es, für die nächsten Tage sei der Bahnverkehr gänzlich gesperrt. Es mußte da oben, wo Hindenburg befehligte, etwas Neues im Werke sein! Desto heißer wurde Helmuts Verlangen, in die kriegerische Zone zu gelangen.

Er beschloß, zu Fuß weiter zu wandern, zumal er mit Erschrecken sah, wie schnell seine Barschaft sich verringerte.

In der Nacht schlief er in der Knechtekammer des Gasthauses in einer kleinen Ortschaft. Für das Unterkommen nahm die Wirtin ihm nur 50 Pfennige ab und die Flöhe bekam er umsonst – es waren nicht wenige! Denn auch hier hatten die Russen mit ihrem Schmutz gehaust. Von ihrem ersten und zweiten Einfall hörte er in der Gaststube, wo er eine Suppe verzehrte. Greuliche Geschichten! Es lief ihm kalt über den Rücken, wenn er sich vorstellte, daß das alles wirklich geschehen war und nicht nur so in Büchern stand. In der Wand der Gaststube steckten noch die Kugeln, und die Wirtin trug Trauer, denn ihren Mann hatten die russischen Soldaten auf dem Marktplatz erschossen, weil er sich geweigert hatte, ihnen sein gesamtes Eigentum auszuliefern. Auf dem Hofe von Frau Ledderhose hatte Helmut gar nicht so einen schrecklichen Begriff von ihnen bekommen. – Da waren sie einfach freundliche Menschen gewesen, die ihre Arbeit taten und des Abends vor ihrem Schuppen saßen und schöne traurige Lieder sangen. Seltsam doch, wie der Krieg die Menschen verändern mußte! Ob sein Vater wohl auch so von Grund aus verändert, so wild und grausam geworden war?

Einen armen Kerl, der über die Zerstörung seines Eigentums verzweifelt war, so einfach niederzuknallen – nein, dessen war sein Vater nicht fähig. Das wußte Helmut felsenfest.

Mit solchen Gedanken trottete er im Regen die Landstraße entlang, erfüllt von all den neuen Eindrücken. Er begegnete schon mancherlei kriegerischen Vorbereitungen. Einmal einer langen Artilleriekolonne mit großmächtigen Geschützen, ein anderes Mal einem friedlichen Zug schwarz und weiß gefleckter Rinder, die indessen auch einem vaterländischen Zwecke dienten. Sie folgten dem Heere nur, um geschlachtet zu werden, dann als Gulasch die fahrbaren Feldküchen zu füllen und die Tapferen nach vollbrachter Pflicht zu stärken.

Immer Neues gab es zu sehen und zu hören. Helmut wurde das stundenlange Wandern nicht leid. Aber endlich wurde er noch naß bis auf die Haut, und in seinen Schuhen gluckste das Wasser bei jedem Schritt. Als er am Nachmittag den Planwagen mit den heimkehrenden Flüchtlingen überholte, war er herzensfroh, als der Kätner ihn gutmütig aufforderte, mit unter den Plan zu kriechen. Da war's ganz behaglich, man saß dicht beisammen, einer wärmte den anderen, und man kam schneller vorwärts.

Aber dann war's doch schrecklich, das zerstörte Dorf zu sehen und den starren Schmerz der Leute, als sie vor dem Trümmerhaufen standen, der einst ihr schmuckes Häuschen gewesen.

»Na, nun nicht gejammert, das wird schon alles wieder werden«, sagte der Mann endlich und schlug sich bekräftigend mit der Faust in die linke Hand. »Das ganze Deutsche Reich wird uns helfen wieder hoch zu kommen, und der Kaiser hat's versprochen!« Damit holte er sich vom Wagen einen Spaten und fing gleich an aufzuräumen, um sich durch den Schutt den Weg in die noch stehengebliebenen Brandmauern zu bahnen. Der Stall war auch ziemlich unversehrt. Der ließ sich am ersten zu einem vorläufigen Obdach für die Nacht herrichten. Vater und Mutter, die Kinder, darunter ein Sohn in Helmuts Alter, alles arbeitete wacker daran, das Ställchen sauber zu bekommen. Da hatte man doch wenigstens ein Dach über dem Kopf. Ein paar Strohsäcke wurden vom Wagen geholt und die mitgeführten Betten und Decken darübergebreitet. Helmut machte sich nützlich, indem er unter dem vorspringenden Dach, an einer vor dem Regen geschützten Stelle, aus Steinen einen kleinen Herd baute und Feuer anzündete. Das hatte er oft auf Jagdausflügen mit dem Vater geübt. Die Frau kochte einen Brei, und obschon die ganze Familie aus einer Schüssel aß, schmeckte es doch allen prächtig. Der Mann dehnte sich und sagte zufrieden zu seiner Frau: »Was, meine trautste Marjell, wieder zu Haus – is doch besser, als die Füße unter fremder Leute Tisch zu stecken!« Und dann schnarchte er auch gleich schon friedlich, daß es klang, als arbeite eine große Säge sich durch eine gewaltige Eiche. –

Am nächsten Morgen wanderte Helmut weiter, diesmal bei hellem Frühlingssonnenschein; der trocknete seine nassen Schuhe schnell. Hinter ihm klang der Schlag der Äxte und der Ruf der Zimmerleute aus den Ruinen, in denen überall sich fleißige Menschen regten, die einander hilfreich waren, um neu aufzubauen, was der Krieg zerstört hatte. Schwer mochte es oft sein, in der verwüsteten Gegend seines Lebens Notdurft und Nahrung zu finden, mancher mochte bereuen, zu früh im Winter zurückgekehrt zu sein. Vor dem nächsten Dorfe traf Helmut auf eine Gruppe Kinder, die eifrig in dem Schlamm der aufgewühlten Gartenerde nach Kohlstrünken suchten und die halbfaulen, schmutzigen Reste gierig benagten. Er stand still und schaute sie an – so etwas von Hunger, wie sich auf den armen, blassen Gesichtlein ausprägte, hatte er sich nie träumen lassen! Barfuß waren sie, mit offenen Frostbeulen an den Füßen, und nur ein paar zerrissene Lumpen als Kleider am Körper.

Helmut warf seinen Rucksack von der Schulter. Er besaß noch belegte Butterstullen, mit denen er sich am Tage zuvor im Gasthof versorgt hatte, und einige harte Eier! Er dachte nicht mehr daran, daß dies für heute sein Mittagsmahl bilden sollte, sondern kramte die guten Dinge eilig hervor und hielt sie den Kindern entgegen.

Die starrten ihn einen Moment lang ganz dumm an, als könnten sie das unerwartete Glück gar nicht fassen. Dann stürzten sie sich auf die Gabe, Helmut mußte noch energisch wehren, daß sie sich nicht darum prügelten. Schon waren Eier, Wurst und Brot in den eifrig kauenden Mündern verschwunden. Wahrhaftig, sie bettelten noch um mehr. Er ließ sie in seinen Rucksack schauen, um sie zu überzeugen, daß er nichts Eßbares mehr bei sich führte.

»Warum seid ihr nicht nach Berlin gekommen? Mein Großvater hätte besser für euch gesorgt«, sagte er. »Jeder, der kommt, kriegt Nachtlager und Speisemarken für die Volksküche!«

»Vater wollte nicht fort, Mutter hat ihn so gebeten! Er sagte, er wollte sterben, wo er gelebt hat«, antwortete das Älteste, ein verständiges Mädchen von etwa neun Jahren. »Wir haben uns nur im Walde versteckt, solange Russ' hier war, dann kamen wir gleich wieder. Aber kalt im Winter, schrecklich kalt!« »Das will ich wohl glauben, ihr armen Würmer«, sagte Helmut mitleidig und schenkte jedem noch zehn Pfennige. Sie zeigten ihm die Richtung des Weges und warnten ihn, er solle nicht durch den Wald gehen, dort hänge noch viel Stacheldraht zwischen den Büschen, und es gäbe dort auch tote Pferde, die röchen schlecht.

Am nächsten Tag kam Helmut ins Russische, oder vielmehr in das Gebiet, das vordem russisch gewesen, nun aber von unseren Truppen besetzt war. Jetzt begann erst die schwere Zeit. Er konnte sich nicht mehr mit den Einwohnern verständigen, die ihn mißtrauisch und feindlich betrachteten. Er verirrte sich und wußte nicht mehr aus noch ein, dazu knurrte ihm der Magen gewaltig, denn er hatte am Abend zuvor in einem furchtbar schmutzigen »Krug« am Waldesrand nur ein Glas Bier und ein Stück Brot erhalten. Lange Stunden irrte er im Walde umher. Er sah auch so eine arme Pferdeleiche im Drahtverhau hängen. Schwärme von Raben kreisten über ihr und bedeckten sie fast. Helmut hatte im Tropenwald und auf den Weiden in Brasilien oft gefallenes Vieh gesehen und immer auch die Aasvögel über ihrer Beute. Aber hier grauste es ihn mehr als je zuvor, er wußte selbst nicht warum. Der Gedanke, in diesem Wald übernachten zu müssen, erschien ihm plötzlich sehr schreckhaft. Noch in diesem Frühling mußten hier Kämpfe stattgefunden haben. Viele Bäume waren schwarzgesengte Stummel. Er traf auf tiefe Gräben, die an ihren Rändern zerbrochene Konservenbüchsen, Patronenhülsen, Kleiderfetzen aufwiesen zum Zeichen, daß sie für Freund oder Feind als Schützengräben gedient hatten. Kreuz und quer liefen die zerschossenen und zerrissenen Drahthindernisse durch das Unterholz, das sich mit lichtgrünem Blätterwerk zu bekleiden begann. Es war so still, als hätten selbst die Vögel vor Schrecken das Singen verlernt. Helmut ging schneller und schneller auf einem kräftig betretenen Pfad, der denn doch einmal irgendwo auf eine breitere Straße führen mußte. Zuletzt lief er und fühlte, wie die Schweißtropfen ihm über die Stirn rannen.

Da hielt er mit einemmal auf einer Lichtung inne. Ihr Boden war bedeckt mit zarten weißen Anemonen und lila Waldveilchen. Durch die spärlich belaubten hohen Buchen, an denen die hellgrünen Blättchen die goldigen Knospenhüllen noch nicht völlig abgestreift hatten, schien die Abendsonne und tauchte den einsamen Platz in einen sanften, hellen Glanz. Zwischen den Blumen lag eine Reihe kleiner Hügel, auf jedem war ein Holzkreuz befestigt, und graue Helme hingen über den Kreuzen.

Auf den Zehen trat Helmut näher und las die Inschriften der Kreuze. Zuweilen waren es Namen und die Bezeichnung des Dienstgrades, z. B.: »Hier ruht in Gott unser guter Hauptmann Freiherr Egon von Falkenberg.« Zuweilen nur die kurzen Worte: Hier ruht ein deutscher Soldat. Das Datum war bei allen dasselbe.

Helmut nahm seine Mütze ab und faltete die Hände. Friedlich durften sie nun schlafen, die toten Helden unter Anemonen und Veilchen, im grünen Arm des Waldes!

Weihevolle Andacht und Verehrung erhob Helmut das Herz. Vor diesen Gräbern verging die sinnlose Angst, die ihn beim Anblick der Pferdeleiche gepackt hatte. Er richtete sich straff auf, seine Augen glänzten wieder hell und mutig. Es war, als steige aus dem Erdboden dieses stillen, goldumglänzten Waldwinkels eine wunderbare Kraft auf, die er mit tiefem Atemzuge trank, die ihn plötzlich mit einer großen Zuversicht begabte, daß er die Aufgabe, zu der er ausgezogen, auch erfüllen werde.

Mit scharfen Blicken musterte er den Stand der Sonne, prüfte mit emporgehobenem genäßten Finger die Windrichtung, betrachtete eingehend die verschiedenen begrasten Pfade, die auf der Lichtung zusammenführten und wählte nach kurzem Bedenken den, der am meisten Spuren aufwies, in der letzten Zeit von menschlichen Füßen betreten worden zu sein. Der führte ihn dann auch nach zwei Stunden strengen Marschierens aus dem Walde heraus auf eine breite Landstraße. Hier geriet er in ein mächtiges kriegerisches Treiben mitten hinein.

Im Dämmern der Frühlingsnacht zogen graue Truppenmassen singend dahin, große Lastautos und Planwagen folgten ihnen, Offiziere auf Pferden ritten an den Rändern der Chaussee, ungeheuere eisengraue Geschütze wurden von Autos oder von Reihen schwerer Gäule mit furchtbarem Gedröhn und Gerassel bewegt, während die Artilleristen, die sie zu bedienen hatten, fluchten und schimpften, weil sie nicht schnell genug vorwärtskamen.

Eine Weile schaute Helmut begeistert auf das belebte Nachtbild. Plötzlich fühlte er eine ungeheure Müdigkeit seine Glieder lähmen und seine Sinne verwirren. Fast wäre er stehend eingeschlafen. Er lief zurück zum Wald, kroch in ein Gebüsch, und während das Dröhnen und Rasseln, das Singen und der dumpfe Marschtritt der Bataillone fern und ferner verhallte, war er schon fest eingeschlafen.

Als Spion verhaftet

In der Morgenfrühe erwachte Helmut, schaudernd in der Kühle und dem Tau der Frühlingsnacht. Er wärmte sich durch einen Dauerlauf am Rande der sonnigen Chaussee, auf der sich schon wieder ein reges kriegerisches Treiben entwickelte. Mörderisch hungrig war Helmut inzwischen geworden. Öfters mußte er stehenbleiben und sich zusammenkrümmen wie ein Regenwurm vor Schmerzen in seinem leeren Magen. Er dachte mit einem gewissen Stolz: Eklig ist's ja – aber Donnerschock – ich kann das doch eher aushalten wie die armen kleinen Mädchen in dem Krautgarten!

Endlich traf Helmut bei einem zerschossenen Gehöft eine Kompagnie, die auf dem gepflasterten Hof um eine Gulaschkanone lagerte und sich bei munterem Geplauder ihr Frühstück schmecken ließ. Der Duft des dampfenden Kaffees, des frischgebackenen Brotes stieg Helmut wie ein berauschender Wohlgeruch in die Nase. Er machte sich heran und fragte bescheiden, ob er wohl auch einen Bissen und einen Schluck haben könnte. Man forschte, woher er käme, denn hier sprach die Landbevölkerung nur Russisch oder Estnisch. Offenherzig berichtete er seine Absichten und Pläne. Die Soldaten lachten über seine Keckheit, einer holte ihm eine Schale Kaffee, ein anderer schenkte ihm ein tüchtiges Stück Kommisbrot. Als sie aufbrachen, zog er einfach mit ihnen. Freilich schnauzte ihn der Feldwebel einmal nicht wenig an – er solle machen, daß er heimkäme, er wäre ja noch nicht trocken hinter den Ohren und gehöre an Mutters Schürzenband. Der Junge ließ sich nicht anfechten und ging einfach zu einer anderen Kompagnie. Überall amüsierte man sich über den hellen klugen Bengel. – Er mußte von Brasilien und seinem dortigen Leben erzählen, der Deutsche hört nun einmal zu jeder Zeit gern von fremden Ländern und Sitten. Alle seine Abenteuer mit Schlangen, durchgehenden Pferden, Indianerüberfällen gab Helmut zum besten, und es ging hier wie schon in Jarmlitz und in Berlin im Realgymnasium, aus ganz einfachen Erlebnissen waren im Laufe der Zeit wildromantische Geschichten geworden, die mit der Wirklichkeit nur noch wenig Ähnlichkeit aufwiesen. In den Ruhestunden sang er brasilianische Lieder und tanzte komische Negertänze, kurz, Helmut bildete sich schnell zum Clown der Truppe aus und empfing von den gutmütigen Feldgrauen als Dank für seine Späße reichlich Liebesgaben in Gestalt von Wurstbrocken, Zigaretten und Schokolade.

So zog er zwei Tage lang mit der Kompagnie immer tiefer nach Rußland hinein, der Gegend zu, wo die großen heißen Kämpfe stattfanden. Er sah und hörte viel Neues, und der Mund stand auch nie stille mit Fragen nach den Einzelheiten der militärischen Ausbildung, nach Uniformen und Einrichtungen, nach der Art der Kämpfe, die dieser und jener schon miterlebt hatte. Die Soldaten gaben ihm auch bereitwillig Auskunft. Indessen sollte diese Neugier für Helmut höchst unangenehme Folgen haben.

In einer kleinen Ortschaft, wo Nachtquartier gehalten werden sollte, drängte sich ein russischer Hausierer zwischen die Soldaten und verkaufte Seife, Kerzen, Bleistifte. Besonders begehrt wurden die russischen Süßigkeiten, denn die Kehlen wurden trocken bei den langen Märschen. Der Hausierer machte ein gutes Geschäft, trotzdem er ein unangenehmer Geselle war mit seiner Zudringlichkeit, seinem schmutzigfettigen Pelz und dem dummverschmitzten Kalmückengesicht, mit den schiefstehenden Schlitzaugen. Helmut ließ sich mit ihm in eine längere Unterhaltung ein. Der Hausierer sprach recht gut Deutsch. Außerordentlich spannend erzählte er Helmut, wie er schon als Schüler wegen revolutionärer Gesinnung eingekerkert und nach Sibirien verbannt worden sei, wie es ihm dann unter schrecklichen Gefahren und Entbehrungen gelang zu entfliehen, wie er in England und der Schweiz gelebt habe und erst jetzt, nun es von den Deutschen erobert sei, den Teil seines Vaterlandes wiedersehen dürfe, in dem er ein glückliches Kind gewesen sei.

So unsympathisch Helmut der Mann auch war, wurde er doch gerührt durch die Erzählung all der Leiden, die ihm das Leben schon gebracht hatte. Nur war es ihm fatal, daß, während er auf einem kleinen Seitenweg des Städtchens zwischen Gärten in der milden Frühlingsdämmerung mit ihm auf und ab wandelte, der Russe ihm im Eifer des Erzählens zuweilen zärtlich um die Schultern faßte oder ihm liebevoll über den Arm strich. Auch die Anrede »Lieber Mensch Sie! Hören Sie doch!« mit der der Hausierer sehr freigebig war, schien Helmut etwas allzu vertraulich. Er wäre ihn schließlich gern losgeworden, wußte aber nicht, wie er das anstellen sollte. Ein Trupp von vier bis fünf Soldaten kam das Sträßchen herunter.

»Da sind sie ja – die beiden Burschen!« hörte er rufen, »nun mal schnell ran, Jungens, jetzt können sie uns nicht entwischen!«

Ehe Helmut noch recht wußte, wie ihm geschah, war er bei der Schulter gepackt und bekam, als er sich losreißen wollte, von dem jungen Kriegsfreiwilligen, der ihn hielt, eine Ohrfeige, daß ihm die Funken vor den Augen tanzten. »So«, sagte dieser böse, »das ist dafür, daß du uns so reingelegt hast mit deiner Vergnügtheit, Mensch – und machst dich dabei mit solchem Gesindel gemein! Pfui Teufel!«

»Ja, was ist denn nur los – erklären Sie mir blos in aller Welt ...?«

Inzwischen waren die übrigen Feldgrauen dem Russen nachgelaufen. Beim Anblick der auf sie zukommenden Soldaten, war der die Straße hinabgesprungen, so schnell ihn seine Beine trugen. Er kam nicht weit, beim Überklettern eines Gartenzaunes faßten sie ihn schon und banden ihm die Hände mit festen Hanfstricken auf den Rücken. Helmut geschah das gleiche, er mochte sich wehren, um sich schlagen, spucken und beißen soviel er konnte. Dabei hörte er aus dem Munde der Soldaten das schreckliche Wort: »Widerspenstiges Spionenschwein!« Helmut schrie, schluchzte und beteuerte seine Unschuld. Der Kriegsfreiwillige Möller, der bisher sein besonders guter Freund gewesen und ihn nun nur finster und verächtlich anschaute, sagte streng: »Schick' dich vernünftig in das Unvermeidliche. Der Oberst wird schon herausfinden, ob du unschuldig bist oder nicht! Verdächtig war den Kameraden dein Hin- und Herlaufen zwischen uns und dein ewiges Gefrage nach lauter Dingen, die dich nichts angehen! Ich bin immer für dich eingetreten! Und dann macht sich ein deutscher Junge mit so 'nem Lausekerl gemein! Pfui Teufel, pfui Teufel! – Na, jetzt gibt's erst einmal eine ordentliche Leibesuntersuchung – dabei wird sich ja ergeben, ob wir etwas Anstößiges finden!«

»Aber ich habe Ihnen doch meinen Paß gezeigt«, stotterte Helmut kleinlaut.

»Pässe – Pässe –!« sagte der junge Kriegsfreiwillige, »das wär' nicht der erste Paß, der gefälscht wäre!«

Helmut biß die Zähne aufeinander und reckte sich trotzig. Er wollte nicht den Anblick eines feigen Hundes bieten, mochte nun kommen, was da wolle! Der Hausierer heulte und winselte wie ein geschlagenes Tier, zwischen den Fäusten der zwei alten Landwehrmänner.

Furchtbar schamvoll war es für Helmut, zwischen den Gruppen der lagernden Soldaten auf dem Marktplatz hindurchgeführt zu werden. Die Hände auf den Rücken gebunden. Alle kannten sie ihn ja doch – reckten die Köpfe nach ihm, flüsterten und tuschelten erregt untereinander. Sie hielten ihn für einen Spion, der sein Vaterland verraten wollte – welch ein unerträglich abscheulicher Gedanke!

In einem stattlichen Hause, es mochte so etwas wie das Rathaus sein, trennte sich die Gruppe in zwei Teile. Helmut wurde in ein Bureauzimmer gebracht, wo er sich völlig entkleiden mußte. Der junge Möller, der schon die Gefreitenknöpfe trug, untersuchte seine Jacke, während zwei Männer sich mit der Wäsche und seiner Brieftasche befaßten. Jedes Zettelchen wurde dreimal umgewendet und durchstudiert. Allmählich begann Helmut sich zu fassen. Außer den Briefen seines Vaters, die er immer bei sich trug, dem Stundenplan des Gymnasiums, einer Rechnung mit der Unterschrift von Frau Anna Ledderhose, die er einmal in Jarmlitz aus dem Papierkorb entwendet hatte, und einem Samtband, das sie um den Hals getragen, enthielt die Brieftasche nur noch einen Zettel mit ein paar feinen Schulwitzen, über die er sich zwar ein bißchen schämte, aber die ihn doch unmöglich an den Galgen bringen konnten.

Da plötzlich hörte er einen dumpfen Ausruf des jungen Freiwilligen, der sich hinter seinem Rücken mit seiner Jacke zu schaffen machte. Die Soldaten traten zusammen – Helmut fuhr mit dem Kopf herum, und sah wie sein Freund aus dem Umschlag des Jackenärmels einige zusammengeknüllte Kügelchen von Seidenpapier zum Vorschein brachte.

– »Da haben wir's ja«, murrte er zwischen den Zähnen.

»Das gehört mir nicht!« rief Helmut stürmisch.

»Kann jeder sagen«, wurde ihm geantwortet. Die Männer, mit Ausnahme eines stämmigen alten Landwehrmannes, der ihn im Auge behielt, traten am Fenster zusammen, glätteten vorsichtig die Papiere, beugten sich dicht darüber, einer zog eine Lupe hervor und prüfte sie, schüttelte darauf den Kopf, blickte ernst und traurig zu Helmut hinüber und sagte leise: »Es ist kein Zweifel möglich. Hätte es doch nie gedacht ... Machte solchen netten Eindruck!«

Helmut war zumut, als sollte ihm das Herz zerspringen vor Wut und Zorn. Das waren alles seine guten Freunde gewesen – und hielten ihn solcher Schlechtigkeit für fähig! Wollte er sich verteidigen, wollte er zu erklären versuchen, was ihm selbst unerklärlich erschien, so hieß es: »Halt's Maul! Vor dem Oberst magst du dich rechtfertigen!« Die Soldaten verließen ihn, nachdem Möller die geglätteten Seidenpapiere und Helmuts Brieftasche sorgfältig zu sich gesteckt hatte. Der schweigsame Landwehrmann mit dem zottigen Bart blieb in der Tür stehen. Es wurde dunkel in dem öden Bureauzimmer, wo der Staub auf den leeren Regalen und Tischen lag. Helmut saß auf einem Stuhl, malte mit dem Finger gedankenlos in dem Staub auf dem Tisch, bis er nichts mehr zu sehen vermochte. Er begann nachzudenken, wie die Seidenpapierkügelchen wohl in aller Welt in seinen Jackenärmel geraten sein mochten. Sie waren doch keine Läuse, daß sie kriechen, keine Flöhe, daß sie springen konnten!

Da kam's ihm plötzlich! »Lieber Mensch! lieber Mensch«, hatte der Russe gejammert, »hast du Mitleid, bist du edler Mensch!« Und hatte seine Schultern umfaßt, hatte seinen Arm gestreichelt! Ihm sicher bei dieser Gelegenheit die Kügelchen, die Gott weiß was für gefährliche Aufzeichnungen enthalten mochten, in den Jackenärmel geschoben, weil er sich irgendwie verraten wußte, oder weil er hoffte, ihn auf diese Weise zum Mitschuldigen zu machen! Teufel auch! Das war ja eine scheußliche Geschichte! Manche Erzählung von Spionen hatte Helmut in dieser Zeit gehört. Weder bei uns noch bei unseren Feinden machte man viel Umstände mit den Gesellen! Eine Schlinge um den Hals und an den nächsten Baum geknüpft, sobald der Kerl überführt war! War er denn nicht überführt? Hatte man nicht Aufzeichnungen bei ihm gefunden? Ein recht freundliches Schicksal, das ihn da erwartete....

Ein Frieren ging durch seinen Körper, ein Schwindelgefühl war in seinem Kopf. Der Knabe stützte beide Arme auf den Tisch und faßte die Stirn mit den Händen. Jetzt galt es, sich zusammennehmen, seine Gedanken klar behalten ... Ja – nun war er im Krieg, und Gefahren drohten von allen Seiten! Das hatte er ja zu erleben gewünscht! Von Heldentaten hatte er geträumt. Nur nicht so elend schmachvoll zugrunde gehen – nur das nicht!

Schritte dröhnten auf dem Korridor vorüber, jedesmal schrak Helmut auf und dachte, man würde ihn holen. Endlich öffnete sich die Tür, Gefreiter Möller trat ein und sagte kurz: »Komm jetzt, der Herr Oberst will dich vernehmen!«

Helmut folgte schweigend. Dicht bei ihm ging der Landwehrmann mit dem großen Bart. Auf dem Flur, der durch eine trübselige Öllampe erhellt wurde, führte man den Hausierer an ihnen vorüber. Den Kopf tief auf die Brust hängend, an allen Gliedern schlotternd, hin und her schwankend, ein Haufen menschliches Elend, so schlurfte er zwischen zwei Feldgrauen daher.

Der ist erledigt, dachte Helmut mit Grauen und Ekel. So sieht ein Mensch aus, der keine Hoffnung mehr hat.

– Nur nicht so armselig vor den Richter treten! Er ballte die Fäuste, drückte sich die Nägel tief ins Fleisch, reckte sich mit aller Gewalt zurecht.

In einem öden leeren Zimmer saß der Oberst mit vier Offizieren um einen Tisch, den Papiere und Karten bedeckten. Mehrere Kerzen in Flaschen gesteckt, beleuchteten die braunen energischen Gesichter der Herren. Der Oberst winkte Helmut nahe zu sich heran, so daß der Lichtschein hell über ihn fiel, während der Raum ringsumher sich im Dunkel verlor. Die blauen wie Stahl blitzenden Augen des Regimentskommandeurs blickten scharf auf den Jungen, während er Frage nach Frage an ihn richtete. Der neben ihm sitzende Offizier hatte Helmuts Brieftasche vor sich ausgebreitet und prüfte zuweilen, ob seine Angaben mit den Schriftstücken, die er darin gefunden hatte, übereinstimmten.

Vielerlei mußte er den Herren erzählen, und manches schien ihm wenig oder nichts mit der Spionensache zu tun zu haben. Indessen mußten die Herren ja wohl wissen, warum sie ihn das alles fragten. Von »Waldecke« mußte er berichten, wie das Haus dort eingerichtet gewesen sei, wo der Garten gelegen, wieviel Pferde und Kühe sein Vater besaß – dann Einzelheiten über die Reise und den Berliner Aufenthalt bei den Großeltern.

Helmut fühlte deutlich, daß es galt die Wahrheit, die reine schlichte Wahrheit zu sprechen; denn sein kindisches Protzentum, die phantastischen Flunkereien fielen vor den Augen und Ohren dieser ernsten Männer jämmerlich in sich zusammen.

Zuweilen hielt er inne und sagte bescheiden: ich muß mich erst besinnen – ich kann mich nicht gleich erinnern ..., dann nickte ihm der Oberst aufmunternd zu. So wurden seine Angaben im ganzen klar, einfach und übersichtlich.

»Du hast also aus Neugier diesen russischen Händler ausgefragt?« sagte der Oberst schließlich. »Er hat dir seine Lebensgeschichte erzählt, die wahrscheinlich erlogen war, und, wie du angibst, dich dabei umarmt und gestreichelt – nun das klingt ja ganz einleuchtend! Der Kerl war ein raffinierter Spion, der uns vielen Schaden zugefügt hat, und dem wir schon längst auf der Spur sind.... Er wußte wohl, was für ihn auf dem Spiel stand und versuchte sein armseliges Leben durch dich zu retten. – Ja, in solche Gefahren kommt man eben, wenn man sich vorwitzig an Orte begibt, wo man nicht hingehört, statt vernünftig in seine Schule zu gehen. Hoffentlich bewahrheiten sich deine Angaben – so lange bis wir Gewißheit haben, müssen wir dich noch in Gewahrsam halten.«

Helmut wurde in das Zimmer zurückgeführt, wo er vorher gesessen hatte. Die Läden vor den Fenstern waren geschlossen, und eiserne Riegel davorgelegt. Auch die Tür wurde verschlossen. Hier hatte er nun die ganze lange Nacht zuzubringen. Aber neue Hoffnung stieg in ihm auf – der Oberst hatte zuletzt zwar ernst, doch nicht mehr so finster ausgeschaut wie zu

Anfang des Verhörs, Helmut hatte sogar zu beobachten geglaubt, wie ein flüchtiges Lächeln über sein Gesicht gehuscht war.

Endlich ging dann auch diese lange Nacht zu Ende. Als kleine Sonnenblitze sich durch die Spalten in den Holzläden stahlen, drehte sich der Schlüssel im Schloß. Gefreiter Möller kam herein, stieß die Läden auf und lachte über sein ganzes rosenrotes junges Gesicht.

Fröhlich rief er: »Das Telegramm vom Polizeibureau in Berlin ist da und bestätigt deine Angaben über Familie und Herkunft!« Er streckte ihm die Hand entgegen. »Nun schlag ein und sei mir nicht böse wegen der Ohrfeige, die du in der Hitze des Gefechtes bekommen hast. Denk' es wäre ein feindlicher Streifschuß gewesen! Ich kann dir übrigens verraten, daß unser Herr Oberst das Telegramm noch mit dem Vermerk »dringlich« versehen hatte! Wir wollen dem armen Kerl doch die Stunden der Angst möglichst verkürzen, sagte er.«

Helmut hörte kaum auf die freundliche Erklärung.

»Ja – bin ich denn frei?« fragte er verwirrt.

»Natürlich bist du frei!« Da gab's einen wilden Jubelschrei, Helmut tanzte wie toll in dem staubigen Zimmer herum, ergriff zwei Stühle und schwenkte sie hoch in der Luft herum, vor Glück.

»Nun laß mal bitte meinen Schädel in Ruhe«, meinte Möller gemütlich. »Wasche dir unten am Brunnen Gesicht und Hände – du siehst aus, als hättest du fürs Vaterland ein paar russische Kamine ausgefegt! Aber fix! Der Herr Oberst will dich noch sprechen, ehe wir aufbrechen.«

Der Herr Oberst hatte sich sein Frühstück in einen benachbarten Garten bringen lassen. Er saß unter einem blühenden Birnbaum im Sonnenschein und strich sich behaglich eine Schnitte Brot mit Marmelade. Dabei plauderte er mit dem Oberstabsarzt, als Möller und Helmut vor ihm erschienen.

»Na, mein Junge«, begrüßte er diesen freundlich, »heut schaust du ja bedeutend frischer aus. Gestern war die Farbe doch etwas gelbgrün. War ja auch keine Kleinigkeit! Hast aber Haltung bewahrt! Hat mich gefreut. Gefreiter Möller hat dir schon mitgeteilt, daß du frei bist. Schwatz' ein anderes Mal in der Kriegszone nicht mit unbekannten Persönlichkeiten. Hier unser Herr Oberstabsarzt fährt in einer halben Stunde im Auto nach dem Lazarett von L. Dort wolltest du dich doch nach deinem Vater erkundigen. Er hat mir versprochen, dich mitzunehmen. Dann geht's aber mit dem ersten Verwundetentransport nach Berlin zurück, hörst du wohl! Schlachtenbummler deiner Art können wir hier draußen nicht gebrauchen! Sobald du in L. eintriffst, schreibst du an deine Frau Mutter, daß sie weiß, wo du Strolch geblieben bist! Hier hast du 'ne Feldpostkarte! Möller wird dafür sorgen, daß du was in den Magen kriegst. Na Schwarz, was gibt's denn Neues?«

Schon standen Ordonnanzen mit Meldungen bereit, ein Adjutant eilte im Sturmschritt auf den friedlichen Frühstücksplatz, der schlanke Oberst erhob sich, strich das graue Bärtchen und war bereit für tausend neue Pflichten.

Eine Stunde später sauste Helmut neben dem Oberstabsarzt durch das leicht gewellte Land, seinem Ziel entgegen.

Der lange Lehmann und Onkel Jakobus

»Ja, lieber Junge – da ist denn wohl weiter nichts zu machen«, sagte der Oberstabsarzt und legte Helmut die Hand auf die Schulter. »Wir haben uns überzeugt, daß dein Vater nicht mehr hier ist!« Helmut biß sich die Lippen und würgte an seiner Enttäuschung. »Warum hat Vater nur nie geschrieben?« murrte er traurig. »Weißt du, ob er's nicht tat? Bei dem schnellen Vorrücken unserer Truppen durch Kurland, bei den schweren Kämpfen, die sie in der letzten Zeit zu bestehen hatten – da vergeht den Mannschaften die Lust zum Schreiben. Sie sind auch oft zu weit ab vom Feldpostdienst! Es kann immerhin möglich sein, daß dein Vater in russische Gefangenschaft geriet ... So ging's mit meinem jüngsten Bruder – ein halbes Jahr lang haben wir ihn als tot betrauert – die Mutter hatte schon schwarze Kleidung angelegt – da kam plötzlich über Schweden eine Karte von ihm aus Sibirien.« »Also geh ich eben nach Sibirien«, sagte Helmut leise und störrisch. »Das wirst du nicht tun, denn das ist unmöglich.« »Warum?« fragte Helmut. »Die Russen werden dich kurzweg erschießen, sobald du ihnen in die Hand fällst! In drei bis vier Tagen geht ein Verwundetentransport von hier nach Berlin, dem werde ich dich mitgeben, wie es der Oberst wünschte. Dem langen Kerl, dem Lehmann, den du ja kennst, werde ich dich anvertrauen, damit du nicht wieder auskneifst.« Helmut senkte den Kopf und schwieg. Er hatte nicht die Absicht zu gehorchen.

Der lange Lehmann, der beim Auszug so sicher geprahlt hatte, daß die Kugeln partout und partout keine Lust haben würden, ihn zu treffen – der hatte ihnen doch nicht aus dem Weg gehen können. Das abspringende Stück einer Granate war so unbarmherzig gewesen, ihm das rechte Bein abzureißen. Er fand sich auch in diesen Verlust mit gutem Humor. »Uf die Jerüster werd' ich nu woll nich mehr rumturnen können«, erzählte er Helmut, »aber nu werde ick mir uf die hohe Kunst verlejen, un feine Bilderkens malen, verstehste – so mit joldene Rahmens drum rum, wie die da drüben! Det jefällt mich ausnehmend.« Er zeigte auf die Ölgemälde, welche die mit meergrüner Seide bespannte Wand des Saales schmückten, in dem dieses Gespräch stattfand. Der vornehme Raum – ursprünglich der Tanzsaal eines baltischen Schlosses – diente jetzt als Aufenthaltsort für die genesenden Feldgrauen. Der lange Lehmann streckte sich behaglich auf der blumigen Seide eines goldenen Lehnsessels an dem Flackerfeuer des Kamins, über dem schwebende Engelsfiguren Rosengirlanden um einen mächtigen Spiegel schlangen. Die Schwester hatte ein wenig eingeheizt, denn es war kühl an diesem Frühlingsabend. Durch die feingeschwungenen Bogenfenster blickte man auf eine Marmorterrasse, an deren Rampe weiße Göttinnen in der Dämmerung der hohen Parkbäume träumten. Die Schwester in ihrem grauen Kleide mit dem weißen Häubchen verteilte aus der nebenan liegenden

Bibliothek Bücher unter die Gruppen von Soldaten, die den Saal füllten, an geschnitzten Tischen schrieben, lasen, Karten spielten oder auf der Mundharmonika die Melodien bekannter Volkslieder bliesen. Die wertvollsten Stücke aus der kostbaren Einrichtung des alten Edelsitzes waren vom Oberstabsarzt in einen verschlossenen Raum gerettet; dort warteten sie der Rückkehr ihrer Besitzer. Was hingegen seine Verwundeten brauchen konnten, das mußte heran. Zu ihrer Bequemlichkeit und Stärkung war dem Oberstabsarzt nichts zu gut – wären es auch die edelsten Weine aus dem Keller oder die gemästeten Enten und Puten vom Hühnerhof – oder die seidenen Daunenkissen der Frau Gräfin!

Helmut glaubte, ein seltsames Märchen zu erleben, als in dem grünen Saal der elektrische Kronleuchter entzündet wurde und einer der feldgrauen Männer sich an den Flügel setzte, um eine Sonate von Beethoven zu spielen. Die Männer, deren Köpfe und Glieder noch weiße Gazeverbände trugen, horchten ergriffen auf die herrlichen Harmonien, aus Jubel und Klagen, die den Saiten entrauschten. Helmut gegenüber lächelte von der Wand das Bildnis eines jungen Mädchens in lichtblauem Gewande mit blonden Ringellöckchen an den feinen Schläfen, in den rosigen Händchen hielt sie eine weiße Taube. Nie glaubte er etwas Lieblicheres gesehen zu haben als dieses baltische Grafentöchterlein. Immer wieder mußte er den Blick zu dem süßen Gesicht emporheben. Ob sie noch irgendwo auf Erden zu finden sein mochte? Ach nein – ihr Kleid gehörte einer vergangenen Zeit an – gewiß ruhte sie längst in der Ahnengruft am Ende des Parkes hinter dem verrosteten Eisengitter ...

Der Soldat am Flügel hatte geendet. Ein dumpfes Grollen wurde in der Ferne hörbar, gleich einem aufsteigenden Gewitter, nur regelmäßig klangen die langhin rollenden Donner. »Die verdammten Russen fangen schon wieder an zu bullern«, sagte der Musikant. »Nein – das sind unsere«, widersprach ein anderer. »Auf jeden Fall wird's woll morjen hier wieder voll werden.«

So geschah es denn auch. Am frühen Morgen ratterten die grauen Autos mit den roten Kreuzen in den Hof. Über die weißen Marmortreppen wurde Bahre nach Bahre in die Säle getragen. Arme Kerls wurden von Sanitätssoldaten herausgehoben, sie schleppten sich, von Staub und Blut bedeckt, kaum noch als Menschen kenntlich, zum Verbandsplatz im inneren Hof. Dort waltete der Oberstabsarzt mit seinen Assistenten. Die Schwestern, die Pfleger liefen hin und her, hatten alle Hände voll zu tun. Dieser Augenblick schien Helmut günstig zu einer Flucht. Niemand achtete seiner. Er lief hinaus durch das von Militär vollgepfropfte Dorf, die mit blühenden Apfelbäumen bestandene Chaussee entlang, auf der ihm immer neue Züge von Verwundeten begegneten. Eine namenlose Angst quälte ihn, seit er allen diesen Jammer sah. Das war nun wahrhaftig der Krieg – der grausenvolle

Krieg! Aber gerade weil ihn das Entsetzen schüttelte, mußte er weiter, mitten hinein! Nur keine feige Flucht zurück unter Mutters schützende Flügel.

Nachdem sich Helmut noch zwei Tage lang, begleitet von dem immer gewaltiger dröhnenden Krachen der Geschütze, von Etappe zu Etappe durchgebettelt und durchgeschmuggelt hatte, traf er in der Morgenfrühe nach einer im Chausseegraben verbrachten, höchst ungemütlichen Nacht auf eine Reihe von Planwagen. Sie standen am Rande eines Birkenwäldchens. Bärtige Infanteristen waren beschäftigt, die Pferde zu füttern und aufzuzäumen. Ein helles Feuer flackerte, der Duft frisch aufgebrühten Kaffees stieg dem ausgehungerten, frierenden Helmut lieblich in die Nase. Er machte sich eiligst herzu. Zerlumpt und schmutzig, mit durchlöcherten Schuhen hatte er allmählich völlig das Aussehen eines jungen Vagabunden.

Beim Feuer saß ein seltsamer Mann. Riesengroß, breit und dick hatte er sich's im Sonnenschein bequem gemacht, die hohen braunen Stiefel, der Uniformrock lagen neben ihm, er saß im wollenen Hemd zu den feldgrauen Hosen, Strohschuhe an den Füßen, die Mütze rücküber auf dem blonden Schopf. Ein wallender, flammend roter Bart verbarg den unteren Teil des Gesichts, eine Hornbrille den oberen Teil, ein spitzes Näschen grüßte neckisch zwischen beiden hervor. In das linke Auge hatte er vor die Brille noch eine Lupe geklemmt. In seinen schönen weißen Händen hielt der wüste Waldmensch ein feines Scherchen und ein Stück schwarzes Papier, an dem er ganz versunken schnitzelte. Als die Soldaten den bettelnden Helmut vor ihn führten, hob er den Kopf, legte zuerst einmal das Geschnippsel zwischen zwei weiße Blätter einer Mappe, auf denen schon mehrere dieser phantastischen Gebilde lagen. Dann nahm er die Lupe aus dem Auge und betrachtete Helmut durch die Brillengläser mit einem so hellen scharfen Blick, daß er meinte, der sonderbare Mann müsse ihm bis ins Herz gucken. Er stotterte sein Sprüchlein von dem Vater, den er suchen wolle, und verwirrte sich dabei, denn es kam ihm plötzlich vor, er habe das Gesicht und den hellen Blick schon irgendwo gesehen. Der Mann schlug sich bei des Knaben Bericht laut aufs Knie und lachte. »Wahnsinnig! Ganz wahnsinnig schön!« schrie er entzückt: »Verrückter Lausejunge! Gefällt mir – gefällt mir sehr! Ich nehme dich mit zur Front! Übrigens kommst du mir bekannt vor – ich habe dich schon gesehen!« »Ich Sie auch – in Döberitz«, sagte Helmut. »Aber damals trugen Sie keinen Bart.« »Richtig, den hat mir der Krieg wachsen lassen! Der läßt viel wachsen, wenn er auch viel zerstört. – Höchst wunderlicher, unwahrscheinlicher Zustand.« Er drehte nachdenklich an seiner Haarsträhne über der Stirn. Helmut erinnerte sich jetzt ganz deutlich, gehört zu haben, daß der eigentümliche Mann ein bekannter Künstler sei. Wegen seiner großen Güte hieß er in der Kompagnie nur der »Onkel Jakobus« statt Unteroffizier Sieveking. Ja, hatte ihm denn der Vater nicht geschrieben, daß der ulkige »Onkel Jakobus« sich die Füße bei einem

Patrouillengang schwer verletzt habe und nun Führer der Bagage geworden sei.... Da war er ja aber bei Vaters Kompagnie gewesen – dann konnte er ihm doch Bescheid geben ...! Und er konnte es. Die Bagagewagen, die er zu führen hatte, gehörten dem Regiment, bei dem Wilhelm Kärn stand, und er hatte den Auftrag, ihm in möglichster Eile zu folgen. Das Regiment, so erzählte der Onkel Jakobus dem begierig lauschenden Helmut, war bei den Kämpfen zur Eroberung Kurlands stark beteiligt gewesen und bei stürmischem Vormarsch Wochen-, ja monatelang von jeder Postverbindung abgeschnitten. So erklärte sich nun auch Vaters Verstummen. Es war dann in Reservestellung zurückgezogen, um neu ausgerüstet zu werden. Aber der Onkel Jakobus hatte in den letzten Tagen gehört, man habe Teile davon wieder in die Feuerlinie vorgeschoben. Das alles würden sie bald hören.

Inzwischen waren die Wagen angeschirrt worden. Unteroffizier Sieveking fuhr in seine Schaftstiefel und seinen Uniformrock. Los ging's. Unterwegs mußte ihm Helmut alles erzählen, was er seit seiner Abreise von Berlin erlebt hatte. Der geistreiche Künstler, der phantastische Zeichner, für den der Krieg immer noch ein ungeheures Erlebnis war, schaltete auch die Abenteuerfahrt dieses sehnsüchtigen, zerlumpten Knaben in das Bilderbuch merkwürdiger Szenen ein, das er in seiner Erinnerung mit sich trug. Er zeichnete seinen Kopf in das Skizzenbuch, in dem auch die schwarzen Schnippeleien lagen, die Helmut staunend betrachtete. Seltsame Blüten und Ranken, komische Viecher, wie es nirgends auf Erden gab, kuriose Gespenster mit den drolligsten Fratzen, Prinzessinnen in merkwürdigen Gewändern fanden sich da. »Du kennst doch die Märchen aus »Tausendundeine Nacht?« fragte Onkel Jakobus. »Siehst du, das alles hier soll mal fein gedruckt und zum Schmuck dieser köstlichen, göttlichschönen Geschichten verwandt werden. Das nennt man dann einen Prachtband. Die Frau Geheime Kommerzienrätin legt ihn auf die rote Damastdecke in ihrem Salon und erzählt allen Besuchern, wieviel er gekostet hat. Nu – wir haben's ja dazu!« »Das Buch sollte lieber nur eine Mark kosten, damit wir Jungens es kaufen könnten, wir hätten doch viel mehr Freude daran als die ollen dicken Damen!« rief Helmut. »Das sagst du wohl so in deiner kindlichen Unschuld«, antwortete Onkel Jakobus in einem weisen Ton und hob den Finger belehrend in die Höhe. »Mein Sohn, es ist auf dieser Welt einmal so eingerichtet, daß derjenige die schönen Dinge bekommt, der nichts mit ihnen anzufangen weiß, und der sich wirklich an ihnen freuen würde, der muß sie entbehren! Durch Entbehren aber wird die Seele veredelt!« Nie wußte Helmut, ob Herr Sieveking eine Sache ernst oder komisch meinte; er machte immer so ulkige Gesichter zu seinen Reden, daß Helmut sich hätte totlachen können. Sie wurden beide während der Fahrt recht gute Freunde. Einmal faßte sich Helmut ein Herz und fragte den Onkel Jakobus, ob man auch ein Maler werden könne, ohne das Malen richtig gelernt zu haben. »Zuweilen ein besserer, als wenn man auf einer Schule war«, gab der zur Antwort. Helmut erzählte ihm von dem langen Lehmann, der mit seinem einen Bein nun nicht mehr auf die Jerüster steigen könnte und lieber »kleene Bilderkens« malen wollte. Unteroffizier Sieveking kannte den langen Lehmann auch und meinte: »Vielleicht kann er sich zum Holzschneider ausbilden lassen, dann kann er für mich arbeiten, d. h. wenn ich wirklich einmal unversehrt nach Hause komme und der unsäglich süße Zustand des Friedens eintritt!« Er ließ sich Lehmanns Adresse geben und wollte sich schon bei seinem nächsten Urlaub mit ihm in Verbindung setzen. Helmut freute sich von Herzen, dem armen Kerl am Ende zu einer schönen Zukunft verholfen zu haben. Die Zeit an Onkel Jakobus' Seite verging ihm wie im Fluge. Schnell kam der Abend, an dem sein freundlicher Beschützer ihn einer Patrouille mitgab, um ihn in das Quartier der 3. Kompagnie zu führen, wo er denn endlich seinen Vater finden sollte.

Wiedersehen in gefährlicher Zeit

Die schweren Geschütze der russischen Flotte sandten von der grauen See aus in regelmäßigen Abständen ihre Granaten in den kleinen Badeort mit den netten bunten Holzhäuschen, die gespickt voll von deutschem Militär lagen. Schon war die Kirche in Trümmer geschossen, das Dach des Bahnhofs hing als morsches Sparrenwerk, gleich einer schiefen Mütze über dem Gebäude. In den Wartesälen drängten sich die Mannschaften, suchten auf Tischen und Stühlen, auf dem schmutzigen Fußboden einigen Schlaf zu gewinnen, während Waffen und Tornister in greifbarer Nähe lagen. Es war Befehl eingetroffen, den allzu gefährdeten Ort zu räumen und etwas westwärts hinter Wald und Düne geschütztere Quartiere zu beziehen.

Im Zimmer des Stationsvorstehers zwischen zerrissenen und verbrannten Telegraphen- und Telephonapparaten nahm Feldwebel Kärn die Order seines Hauptmanns für den nächsten Morgen entgegen. Der Hauptmann, ein wuchtiger, kraftvoller Herr, saß am Tisch vor einer ausgebreiteten Karte, auf die auch die beiden jungen Leutnants an seiner Seite aufmerksam schauten. »Also, meine Herren«, sagte Hauptmann Breuer, »um 2 Uhr diese Nacht gehen wir los! Hier durch den Wald. Vom Feinde haben unsere Kundschafter nichts bemerkt. Trotzdem kann in dem Gestrüpp des Unterholzes noch mancher versprengte Trupp stecken. Herr von Mansfeld und Feldwebel Kärn – Ihre Aufgabe wird es sein, dafür zu sorgen, daß wir nicht von hinten überfallen werden! Also auf alle Fälle: uns den Rücken decken! Dazu unterstelle ich Ihnen die Hälfte der dritten Kompagnie. Das Bataillon, das ich befehlige, geht zum Sturmangriff durch das flache Tälchen hier auf den kleinen Fluß und das Dorf an seinem Ufer los. Das Dorf muß morgen abend in unserem Besitz sein. Der Brückenkopf wird von den Russen noch ordentlich verteidigt werden – indessen – wir wollen uns auch nicht lumpen lassen!« Er stand schwerfällig auf – reckte und dehnte die mächtigen Glieder. »N' Abend, meine Herren! Wollen noch ein Nickerchen probieren. Na – was gibt's denn da wieder? Herein!« Man hatte geklopft. Die Tür öffnete sich, eine Ordonnanz trat ein, mit dem zerlumpten, von Staub und Schmutz bedeckten Helmut. »Vater! Vater!« schrie der Junge laut und stürzte auf den Feldwebel zu. Der stand vor Verblüffung starr. Als sein Sohn sich ihm um den Hals werfen wollte, packte er ihn rauh an der Schulter und schüttelte ihn. »Daß dich der Deibel frikassiere, Bengel«, stieß er heiser heraus. »Wo kommst du her? Was in aller Welt willst du hier?« Helmut stand tief erschrocken. »Ja, Vater – freust du dich denn nicht? Ich habe dich doch so lange gesucht! Wir – wir dachten, du wärest tot oder gefangen!« Inzwischen hatte die Ordonnanz Bericht erstattet und dem Hauptmann einen Brief des ihm befreundeten Unteroffiziers Sieveking übergeben, aus dem er die Vorgeschichte des überraschenden Auftritts erfuhr. Der Hauptmann schlug lachend mit der Faust auf den Tisch, seine kleinen munteren Äugelchen blinkten vor Vergnügen. »Also was sagen Sie, meine Herren – von Berlin hat der Junge den Weg hierher gefunden, in den höchsten Norden! Alle Achtung vor der Ausdauer! Kindings, Kindings – da muß ich nur heut nacht gleich noch 'ne Karte nach Hause schreiben, wo ich geblieben bin, sonst kommen mir meine beiden Jören am Ende auch nachgelaufen! Ja – aber Kärn – was machen wir nu mit Ihrem Sprößling?« »Zu Befehl, Herr Hauptmann«, sagte Kärn mit unsicherer Stimme, »ich bin sehr böse auf meinen Sohn. Er soll sofort umkehren und wieder zu seiner Mutter nach Hause, wo er hingehört!« Er fuhr sich mit der Hand an die Augen und rieb, als wäre ihm da ein Stäubchen hineingeflogen; niemand brauchte zu sehen, daß die Augen ihm plötzlich naß geworden waren. Helmut ließ den Kopf hängen. Er kam sich mit einemmal ganz dumm und kindisch vor. »Ja«, sagte der Hauptmann nachdenklich, »was machen wir nun mit dem Jüngling? Morgen früh wird der Ort hier geräumt, die Schiffsgeschütze zielen zu gut ... Unsere Leute ziehen nach Süden ab, den Russen nach. Hier kann er also nicht bleiben. Es hilft nichts – wir müssen ihn mitnehmen. Du hast Schwein, Kerlchen! Heut nacht gibt's einen Sturmangriff! Da siehst du mehr vom Krieg, als dir lieb sein wird. Von Mansfeld«, wandte er sich an den jungen schlanken Leutnant an seiner Seite, »falls dem Vater was Menschliches passiert, stelle ich den Jungen unter Ihren Schutz – soweit das eben möglich ist. Kärn – machen Sie kein so finsteres Gesicht, Sie sind unschuldig an der Geschichte – na, und der Junge hat's doch gut gemeint. Nochmal n' Abend allerseits!« Hauptmann Breuer nickte Helmut und seinem Vater freundlich zu und ging gewichtig auftretend, doch mit elastischem Gang, hinaus. Auch die beiden jungen Herren entfernten sich und ließen den Vater mit seinem Sohne allein. Für Feldwebel Kärn schien Helmut nicht vorhanden zu sein. Er zog hinter einem Schrank ein Kissen hervor, aus dem das Roßhaar quoll, und holte eine Wolldecke.

»Da, leg' dich hin und schlaf«, befahl er kurz. »Vater«, schluchzte Helmut auf, »warum bist du so böse auf mich! Sag' es doch nur!« »Ich habe dir die Mutter anvertraut, du hast mir dein Wort gegeben, für sie zu sorgen! Du hast dein Wort gebrochen, um Abenteuern nachzulaufen! Das tut ein deutscher Junge nicht! Ich schäme mich für dich! Jetzt muß es durchgeschafft werden. Leg' dich hin und schlaf, damit du nachher munter bist!« Schweigend folgte Helmut dem Befehl seines Vaters. Wie anders hatte er sich das Wiedersehen vorgestellt.... Kärn lag ohne Decke, in seinem Mantel, den Kopf der Wand zugekehrt, kein Wort wurde mehr zwischen den beiden gewechselt. Endlich mußte der todmüde Helmut doch eingeschlummert sein, denn aus tiefem Traum fuhr er auf, als sein Vater, schon in voller Sturmausrüstung, ihn weckte, ihm eine Tasse heißen Kaffee und ein Stück Brot vorhielt und ihn dann mit hinausnahm in die duftende Frühlingsnacht, in der die Kompagnien sich marschbereit formierten. Durch den Wald, der mit Unterholz dicht bestanden war, kamen sie ungehindert. Als sie das Gehölz durchquert hatten, dehnte sich vor ihnen im fahlen Dämmer eine flache Talmulde, an deren Ende die Dächer eines Dorfes, am Flusse hingelagert, sichtbar wurden. Dort stand der Feind, der die Ortschaft und den Brückenkopf besetzt hielt. Beides sollte ihm entrissen werden. In losen Linien schwärmten die Mannschaften aus – mit großen Sätzen sprangen sie vorwärts – ha – von drüben knatterten jetzt die Maschinengewehre – ins Heidekraut warfen sich die Feldgrauen, sprangen wieder auf – Dampf und Qualm wallte um sie her – in wilden Sprüngen ging's dem Kugelregen entgegen – ihr wildes Hurra tönte zu der am Waldrand stehenden Kompagnie zurück. »Donnerwetter, die finden einen harten Widerstand«, murmelte Leutnant Mansfeld, der aufmerksam durch sein Glas dem Kampf folgte. »Was meinen Sie, Kärn, ob wir's zwingen?« »Sicher, Herr Leutnant, sicher! Dort an der Brücke, da freilich – nein wahrhaftig, die Unserigen müssen zurück – ah – eine Finte von unserem Hauptmann, jetzt gehen sie mit verdoppelter Wucht los ...« »Vater«, rief Helmut, der neben den angestrengt den Kampf beobachtenden Führern der kleinen Schar seine Blicke nach allen Seiten schweifen ließ, »Vater, dort um die Waldecke kommt was – da bewegt sich's unter den Bäumen!« Sofort wendeten sich die Gläser der beiden Männer jener Seite zu. Im selben Augenblick kehrte eine Patrouille, die man ausgesandt hatte, in großen Sätzen zurück und meldete: »Hinter der Waldecke kommt ein Trupp Kosaken zu Pferd!« »Das wird brenzlich!« sagte Mansfeld. »Na wenigstens hat die Warterei ein Ende! Maschinengewehr richten! Die Kerle mit einem ordentlichen Hagel empfangen«, dröhnte sein Befehl. Prachtvoll in ihren hohen Pelzmützen kamen sie daher, die wilden Kerls, auf ihren kleinen Steppenpferden, ritten lässig unter den breitästigen Kiefern, den hellen Birken, förmlich vergoldet von der aufgehenden Sonne. Da begann das »Tack, tack, tack« der Maschinengewehre ... Der Führer bäumte sich auf seinem Pferde hoch empor und stürzte zur Seite herunter. Der zweite, der dritte gleichfalls, die anderen rissen die Gäule zurück unter die Bäume. Aber nun war's, als ob plötzlich der Wald lebendig wurde. Unter Efeu und Weißdorn, zwischen Tannen und Birkengestrüpp kroch's hervor von grauem Russenvolk, immer mehr, immer mehr in schrecklichen Massen. Nur auf die Ankunft der Kosaken hatten sie gewartet, das Häuflein der Deutschen zu überwältigen. Von allen Seiten schwirrten die Kugeln wie kleine, schrecklich fein und unheilvoll singende Vögelchen. Es gab ein furchtbares Handgemenge dort auf dem zerstampften Rasen. Da sah Helmut den Tod in der nächsten Nähe, und einen Augenblick faßte eine wahnsinnige wilde Angst sein Herz. Er packte seinen Vater am Rock und schrie verzweifelt: »Vater! Verzeih' mir nur noch! Verzeih' mir!« Kärn riß den Jungen eine Sekunde lang an sich, Helmut fühlte seines Vaters Herz in ruhigen tiefen Tönen schlagen. Das gab auch ihm wieder Mut. Er hörte ihn mit dröhnender Stimme seine Befehle rufen. Der junge Mansfeld lag blutüberströmt neben ihm am Boden. Und dann wußte Helmut nichts mehr, als daß zwei greuliche

Kalmückengesichter immer näher auf ihn eindrangen. Er wehrte sich wütend gegen harte Arme, die nach ihm griffen, erhielt einen Faustschlag auf den Kopf und verlor die Besinnung. Ein Schütteln seines Körpers ließ ihn wieder wach werden. Der kleine Rest der Deutschen, der bei dem Überfall verschont geblieben, war von den Russen gefangen. Leicht hatten sie sich nicht ergeben. Viele Tote und Verwundete, Freunde und Feinde lagen unter den Bäumen, andere Deutsche verbanden sich notdürftig ihre Wunden. Eng zusammengetrieben, wurden sie zwischen einem Trupp berittener Kosaken abgeführt. Durch den schmalen, sich lang hinstreckenden Wald, über Sumpf und Heide ging's, immer im Trabe nach Osten davon. Wer von den Verwundeten im schnellen Lauf nicht Schritt halten konnte, dem sauste die berüchtigte russische Knute um die Beine. Endlich nach etwa zwei Stunden machten die Kosaken halt, banden ihre Pferde an die Bäume und stellten Wachen aus. Die Gefangenen, achtzig an der Zahl, wurden in einen leeren Schuppen genötigt, dessen Tür mit Bohlen verschlossen und mit lauten Hammerschlägen vernagelt wurde. Draußen hörten sie bald ein Feuer prasseln, der gute Geruch von Speisen drang zu den armen hungrigen und erschöpften Feldgrauen. Niemand dachte daran, auch ihnen etwas zukommen zu lassen. Unter den Kosaken schien großes Vergnügen und mächtige Lust an dem gelungenen Überfall zu herrschen. Die Flaschen mit Branntwein kreisten von Mann zu Mann. Sie redeten und schwatzten laut, stritten und versöhnten sich, einen hörte man schluchzen wie ein kleines trauriges Kind, ein paar andere sangen die schönen schmerzlichen Volkslieder der Russen eines hinter dem anderen mit unendlichen Versen. Am Ende hörten die gefangenen Deutschen im Schuppen gar nichts mehr, denn in großer Erschöpfung durch die Aufregung des wilden Kampfes waren die meisten von ihnen auf dem harten Boden der leeren Scheuer fest eingeschlafen.

DIE FLUCHT

Ein toller Ritt

Helmut hörte im Halbschlaf neben sich flüstern. Er wachte vollends auf, als eine rauhe Hand ihm vorsichtig übers Gesicht fuhr und ihm leise die Backe klopfte. Er hielt die liebe Hand fest und fragte leise: »Was gibt's, Vater?« »Höre, Junge, Gefreiter Schmidt sagt mir eben, beim Abtasten der Mauer sei ihm eine Stelle unter die Finger gekommen, wo Steine locker waren; am Ende ließe sich da ein Loch ausbrechen, durch das du dich durchzwängen könntest; bist doch gewandt wie 'ne Katze ...« »Ja Vater«, flüsterte Helmut atemlos, »und dann?« »Na – und dann siehst du zu, daß du dich bei den besoffenen Kerls durchschleichst ...« »Und bringe euch Hilfe von den Unserigen. Ja, Vater! Das tue ich!« »Es geht um Tod und Leben, Helmut! Jetzt zeig', ob du wert bist, an der Front zu sein!« Helmut stand auf, streckte sich gerade. »Zu Befehl, Herr Feldwebel!« sagte er leise lachend. Der Oberlehrer Schmidt nahm ihn bei der Hand, führte ihn zu der Öffnung in der Mauer, an der zwei Soldaten mit den Händen die Erde aufgruben, um sie ein wenig zu erweitern. »Helmut«, flüsterte *Dr.* Schmidt, »ich danke dir auch noch, daß du mir das Buch über griechische Dichter und den Faust geschickt hast! Das war ein geistiges Labsal in dieser Kriegsarbeit! Sieh jetzt mal, ob du durchkommst. Der Alkohol hat seine Arbeit an denen da draußen gründlich besorgt!« Helmut legte sich auf den Bauch und steckte den Kopf durch die Öffnung. Ein zartes Mondlicht lag über der Heide und ein gewaltiges Schnarchen wie von einem vielköpfigen Ungeheuer drang zu den Wipfeln der breitästigen Kiefern empor. Nun den Augenblick benutzen und nicht noch Abschied nehmen! Helmut zwängte seinen schlanken, sehnigen Knabenkörper durch das Loch. Einen Augenblick dachte er steckenzubleiben – eine verdoppelte Anstrengung – die Jacke riß, ein Stück Ärmel hing fest – was tat's – er stand draußen. Mitten unter den von Schlaf und Trunk überwältigten Feinden! Ein ungeheures Triumphgefühl schwoll in der Brust des Knaben. Gleich einem Blitz schoß die Erinnerung an ein oft geschautes Bild in des Vaters Bibel ihm durch den Kopf: Schlafende Wächter vor dem Kerker des Apostels, der von dem Engel bei der Hand geführt, unversehrt zwischen ihnen hindurchschritt! Vorsichtig mußte es geschehen ... Ein falscher Tritt – das Erwachen eines der Männer – und fünf Minuten später würde er am nächsten Baum hängen –. Das wußte Helmut genau. Er fühlte, wie des Vaters Auge ihm durch die Öffnung der Scheunenmauer folgte! Wie eine Katze wand er sich, prüfte mit den nackten Zehen, denn er trug die Schuhe unter dem Arm, jedesmal, ehe er den Fuß aufsetzte, ob auch kein Zweiglein knacken, ob er nicht eine Hand, einen anderen Fuß berühren würde ... Jetzt hatte er den Ring, den die Feinde um ihre Gefangenen bildeten, durchschritten ... Da – regte sich nicht einer? Er duckte sich. Ein Grunzen drang aus der Kehle des Kosaken, indem er sich auf die Seite warf. Helmut stand, hielt den Atem an – nein es folgte ein zufriedenes Murren – der Russe schnarchte weiter. Helmut horchte auf. Zur Rechten klang das Wiehern und Stampfen der Pferde – dort mußte er hinüber durch den Mondschein.... – Ob Wachen ausgestellt waren? Er glitt auf den Boden, kroch wie eine Schlange durchs Heidekraut. An zwei russischen Soldaten kam er vorüber, die kauerten, die Flinten neben sich, die Köpfe auf die Knie gesunken, schliefen fest und tief. Doch einer von ihnen schien sich zu ermuntern. »Wer da?« fragte er leise, schlaftrunken auf russisch. »Kamerad, lieber Mensch«, antwortete Helmut gleichfalls leise auf russisch. Die Kenntnisse dieser Worte dankte er dem Aufenthalt bei Frau Ledderhose. »Gut, gut«, brummte der Russe. Helmut lag, ohne sich zu rühren, lange Zeit still, bis das friedliche Schnarchen wieder einsetzte. »Ästesägen«, nannte es der Vater. Nun schlich er sich zu den Gäulen. Den nächsten, der an eine Birke gebunden, ihre Rinde hungrig benagte, begann er zu streicheln und zu liebkosen. O – er wußte schon, wie man mit dem Pferde umzugehen hat, damit es Vertrauen bekommt und den Freund spürt. Jetzt knüpfte er es los, faßte es am Zügel, führte es vorsichtig über die Heidelichtung – Schritt für Schritt, seine Hufe klapperten kaum im weichen Moos und Kraut! Dann im Schatten eines einzelnen großen Baumes, die Stiefel an und aufgesessen. – Nun mit Schnalzen und leisen Lockrufen den Gaul angetrieben, daß er wie ein Wirbelwind durch das Heidetal stob, dem Walde zu! Unter der Deckung der alten Birken fühlte sich Helmut sicherer. Aufmerksam begann er nach dem Wege zu spähen, auf dem die Russen mit ihren Gefangenen gekommen waren. Gott sei Dank, hier bog die Straße, wie ein weißes, mondbeschienenes Band in des Waldes finstere Nacht. Nun konnte er nicht mehr fehlen! Vor Freude stieß er einen lauten Juchzer aus und ließ den wilden Vogelschrei folgen, mit dem die brasilianischen Hirten ihre Gäule anzufeuern pflegen. Das zottige Kosakenpferdchen verstand ihn, jagte mit dem deutschen Jungen auf dem Rücken wie der Teufel durch die Staubwolken, die seine Hufe aufwühlten. Nach einem scharfen Ritt von anderthalb Stunden spürte Helmut einen Brandgeruch, der immer stärker wurde. Er war auf der richtigen Fährte. Und nun hatte er auch die ausladende Waldecke erreicht, an deren Spitze er die Kosaken zuerst erblickt hatte. Jetzt kannte er sich aus. Vor ihm das flache Flußtal, jenseits des Wassers schwarze Rauchwolken, hochauflodernde Flammen – die brennende Ortschaft. Zwischen dem Brandherd und dem Flusse wimmelnde Massen von Militär ... Ob es Feind oder Freund war, konnte er nicht unterscheiden. Jedenfalls mußte er hinüber und sich Gewißheit schaffen. Er ritt noch eine Weile am Waldrand entlang – da waren die Spuren des mörderischen Kampfes – da lagen die Braven, die ihr Leben gelassen, stumm im Grase. Der Knabe biß die Zähne zusammen. Nur nicht hinschauen – erst das Ziel erreichen. »Kamerad!« so hörte er eine matte Stimme stöhnen. Nun hielt er doch, beugte sich nieder zu dem Flehenden. Es war der junge Leutnant Mansfeld.

»Lieber Herr Leutnant, ich reite eilig hinüber und bringe Hilfe! Haben Sie nur noch ein bißchen Geduld!«

»Dank – Dank«, flüsterte der Mund des Helden, und Helmut sauste davon.

Ja – ja – es waren deutsche Feldgraue –, im heller werdenden Morgenlicht sah er es nun deutlich.

Das war ein frohes Reiten! Durch den flachen Fluß ging's noch mit einer letzten Anstrengung – dann hielt er unter den Seinen.

Man half ihm vom Pferd. Schwindlig, von Staub und Schweiß unkenntlich, stand er zwischen den Soldaten, die ihn neugierig umdrängten.

Atemlos fragte er nach dem Hauptmann Breuer, seine Meldung zu machen. Man führte ihn schleunigst zu dem Offizier.

Die Ortschaft war genommen, der Russe vertrieben, so hörte Helmut auf dem Wege. Zwar hatte der Feind noch einen Angriff vom Walde her versucht, doch neu eintreffende Verstärkung aus der Flanke hatten seinen Plan zuschanden gemacht.

Hauptmann Breuer hörte staunend auf Helmuts Bericht.

»Na, Junge – das war ein Meisterstück!« rief er und schüttelte vergnügt Helmut die Hand. »Jetzt wollen wir den Kerls mal das Erwachen versalzen. Gibt's denn nicht einen näheren Weg zu der Scheune – ... Karte her ... Donnerschock, da sind ja unsere Leute ganz in der Nähe – auf der anderen Seite vom Wald sollte das Regiment auf weitere Befehle warten.«

»Kerls – Freiwillige vor! Wer rettet achtzig Kameraden?« Aus dem Heidekraut sprang's empor – die Todmüden, vom harten Kampf des Tages Erschöpften reckten sich auf. »Hier, Herr Hauptmann –!« »Melde mich, Herr Hauptmann!« »Herr Hauptmann schicken Sie mich!« Drei wurden ausgesucht – der Hauptmann zeigte auf der Karte den Weg durch die brennende Ortschaft gerade hindurch, am Flusse entlang war die deutsche Stellung in einer Stunde zu erreichen! Statt des wohlverdienten Schlafes galt es einen Dauerlauf. Die drei trabten tapfer davon!

Der Hauptmann rieb sich vergnügt die Hände! »So, mein Junge! Oberst von Borwitz wird das übrige besorgen! Heut nachmittag werden unsere Leute, denke ich, wieder bei uns eintreffen!«

»Herr Hauptmann, eine Bitte habe ich noch – können Sie nicht ein paar Sanitäter nach dem Wald schicken? Dort liegt Herr von Mansfeld verwundet, auch noch andere. Ich versprach's ihm ...«

»Gewiß – gewiß doch! Soll gleich geschehen! Hoffentlich ist der gute Junge noch zu retten – seiner Mutter Einziger.

Na, und nun erst mal ran mit 'nem Schluck Rotwein und Brot und Wurst! Weiter haben wir selber nichts!«

Der Hauptmann aber ließ Helmut die besten Teile seines Frühstücks und schaute lachend zu, wie es dem schmeckte.

Am Nachmittag, wie Hauptmann Breuer es vorausgesagt, trafen die achtzig Befreiten beim Bataillon ein. Es fehlte kein Einziger. Mit einem kräftigen Hurra wurden sie von den Kameraden empfangen, Helmut sprang seinem Vater an den Hals, jeder Schatten war zwischen ihnen verschwunden.

Gegen Abend traten die Kompagnien am Ufer des Flüßchens zum Appell an. Hell schien die warme Frühlingssonne dem Hauptmann Breuer in das gute rotbraune Gesicht, als er die ihm anvertrauten Mannschaften musterte. Ganz unten in der Reihe stand Helmut in seinen zerlumpten Kleidern, eine feldgraue Mütze auf dem Kopf, der Jüngste der Kompagnie.

Der Hauptmann hielt eine Ansprache.

»Leute!« sagte er, »ihr habt alle eure Pflicht ehrlich getan an dem heißen Kampftag! Was uns befohlen war, das haben wir geleistet. Aber achtzig von euch stünden heut nicht unter uns, wenn dieser junge Zivilist hier nicht über die Köpfe der schnarchenden Feinde hinweggestiegen wäre und durch einen kühnen Ritt ihnen die Befreiung gebracht hätte! Helmut Kärn tritt vor!«

Militärisch stramm folgte der Junge dem Befehl.

»Dir gebührt das Ehrenzeichen der Tapferkeit!«

Der Hauptmann löste das Eiserne Kreuz von seiner eigenen Brust und heftete es Helmut an die zerrissene Jacke.

»Trage das Kreuz, den höchsten Schmuck des deutschen Soldaten zur Erinnerung an deine mutige Tat! Bleibe durch dein ganzes Leben seiner würdig! Ein Hurra unserem jungen Helden!«

»Hurra – Hurra – Hurra!« klang es dröhnend aus Hunderten von rauhen Männerkehlen zum goldenen Abendhimmel empor.

Helmut stand stumm und zitternd vor Glück, während der Hauptmann seinem Vater die Hand schüttelte. Dem rannen die dicken Tränen in den zottigen Bart.

Dem Hauptmann Breuer war es immer wohler, wenn die feierlichen Augenblicke vorüber waren, und er wieder gemütlich mit seinen Leuten verkehren konnte. So nahm er denn, während die Mannschaften abtraten, Helmut am Ohrläppchen und schüttelte ihn lachend. »Verfluchter Bengel, jetzt geht's aber spornstreichs zurück in die Schule! Auf die Hosen gesetzt und gebüffelt! Verstehst du mich? Wehe dir, wenn's nächste Ostern keine Versetzung gibt!«

»Wird gemacht«, rief Helmut strahlend. »Nur eine Bitte noch, Herr Hauptmann!«

»Na?«

»Daß Vater bald mal Urlaub kriegt!«

»Zugestanden! In acht Tagen ist er bei Muttern!«

Wie Helmut nach Hause kommt

Die Fahrgäste der Elektrischen, welche die lange Schloßstraße in Charlottenburg hinauffuhr, stießen sich an und machten sich untereinander aufmerksam auf einen Jungen, der still in der Ecke saß, und dessen tiefgebräuntes Gesicht immerfort glückselig in sich hineinlachte. Zu einem neuen Anzug aus gutem kräftigen Stoff und funkelnagelneuen Stiefeln trug er eine alte zerbeulte Feldmütze und im Knopfloch seiner Jacke prangte schlicht und doch seltsam eindrucksvoll das Eiserne Kreuz.

»Unverschämt, sich das anzuhängen, so'n Grünschnabel«, schimpfte ein leberkrank aussehender Herr, »wer weiß, wo er das gestohlen hat. Da sollte man doch den Schutzmann aufmerksam machen – das ist grober Unfug!«

Richtig, als Helmut den Wagen verließ, um das letzte Stück zu seiner Mutter Wohnung zu Fuß zu gehen, folgte ihm der grimmige Junggeselle, trat an der Straßenecke auf einen Schutzmann zu und flüsterte mit diesem.

Helmut bemerkte es nicht, er war ganz befangen von der Erwartung des nahen Wiedersehens mit den Seinen. Die Offiziere von seines Vaters Regiment hatten zusammengelegt, ihm die Rückreise bezahlt und ihn in Königsberg mit neuen Kleidern ausrüsten lassen. Nur von der alten Feldmütze, die ihm die Kameraden des Vaters geschenkt, und die er in dem heiligsten Augenblick seines Lebens getragen – von der konnte er sich nicht trennen.

Erschrocken blickte er sich um, als eine Hand sich auf seine Schulter legte und eine bärbeißige Stimme fragte: »Sie, junger Herr, wo haben Sie denn das Kreuz da her?«

»Das werde ich Ihnen gleich sagen, Herr Müller«, antwortet Helmut stolz, denn der Schutzmann war ja sein alter Freund. Helmut hatte ihn hundertmal um Auskunft gefragt, wenn er sich in dem fremden Berlin nicht zurechtfand. Immer stand der Schutzmann mit dem blanken Helm über dem friedlichen rosenroten Vollmondgesicht an dieser Ecke auf treuer Wacht. Hinter seiner bärbeißigen Stimme verbarg er ein freundliches, hilfsbereites Wesen und eine unendliche Geduld.

»Ne nu seh einer – das ist ja der Brasilianer!« rief er jetzt lachend. »Du Ausreißer – ganz Berlin haben wir nach dir durchsucht.... Wo kommst du denn nun hergeschneit?«

Helmut zog aus seiner Brusttasche ein Papier und reichte es mit heimlichem Schmunzeln der hohen Obrigkeit.

Inzwischen hatte sich ein Kreis von Neugierigen um die beiden versammelt. Einige Frauen waren gleich hinter dem grilligen alten Herrn aus dem Wagen gestiegen, um zu sehen, wie die Sache mit dieser rätselhaften Person sich weiterentwickeln würde. Und da gerade die Schule aus war, strömten die Jungen in hellen Haufen herbei.

Der Schutzmann entfaltete weitläufig das Aktenstück, in dem der Oberst des Regimentes Helmut Kärn bescheinigte, daß er das Eiserne Kreuz sich mit Recht und Ehren erworben habe durch die Rettung von achtzig deutschen Soldaten aus Feindeshand und durch seinen dabei bewiesenen Mut. Der Schutzmann las aufmerksam von Anfang bis zu Ende und betrachtete genau den Stempel des Regiments.

»Na, denn wäre ja woll alles in Ordnung«, sagte er, Helmut das Papier zurückgebend, »du bist ja ein Mordskerl! Aber trag' das Papier man lieber immer bei dir! So 'ne verwunderliche Sache – die glaubt sonst kein Mensch so 'nem Lausejungen! Meinen Glückwunsch!« Er legte salutierend die Hand an den Helm. »Lesen, lesen – laut lesen!« schrie es rings im Kreis von alten und jungen Stimmen. Helmut überfiel plötzlich eine fürchterliche Verlegenheit. Es war doch gar nicht leicht, sich zu Haus so richtig als Held zu benehmen. Er hielt sein wertvolles Aktenstück fest in der Hand, machte sich mit Puffen und Stößen heftig Bahn durch die andrängende Jungenschar und rannte davon, so schnell ihn seine Beine trugen. Die Schuljungen mit Hallo und Geschrei ihm nach. Wie ein junger Hirsch entsprang er den Verfolgern, erreichte schweißtriefend das Haus, in dem die Großeltern wohnten und war heilsfroh, als die schwere Eingangstür hinter ihm ins Schloß fiel.

Dreimal riß er oben an der Wohnungsklingel, wie es seine Art war, wenn er hungrig aus der Schule kam. Drinnen entstand ein Lärm, ein Umstoßen von Stühlen, ein Rufen: »Das ist er – Helmut – Helmut!«

Die Tür wurde aufgerissen, lachend und weinend küßte ihn seine Mutter.

Hinter ihr zwischen der Gänseblume und der Großmutter erschien noch ein anderes blühendes, braunäugiges Gesicht. Dort stand Frau Anna Ledderhose, die der Mutter in der schweren Zeit treulich geholfen hatte. Am Kaffeetisch bei all den lieben vertrauten Menschen konnte Helmut nun nach Herzenslust erzählen und berichten von seinem reichen, ernsten Erleben. Die Mutter hielt seine Hand, die sie immer wieder streichelte und drückte. Nachher, als sie beide allein waren, gab er ihr das Aktenstück und nahm das Ehrenzeichen von seiner Jacke.

»Du, Mutti, verwahre es mir, bis ich erwachsen bin«, sagte er »dann will ich's tragen. Jetzt so als ein Wundertier in Berlin herumlaufen und in der Schule protzen – dazu ist mir das Eiserne Kreuz zu heilig.«

Lightning Source UK Ltd.
Milton Keynes UK
UKHW010746271222
414464UK00004B/261